JN216621

Ver3.X
対応

コードが生み出す創造表現

Processing

クリエイティブ・コーディング入門

田所 淳［著］

技術評論社

ご注意

ご購入・ご利用の前に必ずお読みください

●本書に記載された内容は、情報の提供のみを目的としています。したがって、本書を用いた運用は、必ずお客様自身の責任と判断によって行ってください。これらの情報の運用の結果について、技術評論社および著者はいかなる責任も負いません。

●本書記載の情報は、2017年3月現在のものを記載していますので、ご利用時には、変更されている場合もあります。ソフトウェアに関する記述も、特に断りのない限り、2017年3月現在での最新バージョンを基にしています。ソフトウェアはバージョンアップされる場合があり、本書での説明とは機能内容や画面図などが異なってしまうこともあり得ます。本書ご購入の前に、必ずバージョン番号をご確認ください。

●本書の内容は、次の環境にて動作確認を行っています。

OS	OS X El Capitan/Windows 10 Pro

上記以外の環境をお使いの場合、操作方法、画面図、プログラムの動作などが本書内の表記と異なる場合があります。あらかじめご了承ください。

以上の注意事項をご承諾いただいた上で、本書をご利用ください。

●本書のサポート情報は下記のサイトで公開しております。
http://gihyo.jp/book/2017/978-4-7741-8867-6

●本書で解説するProcessingのコードは下記のサイトで公開しております。
https://github.com/tado/CreativeCodingExamples

はじめに

Processingの開発者の1人であるCasey Reas（ケーシー リース）は、講演の中で、これからのプログラマは「ハイブリッド」であるべきだと主張しています[注1]。彼は、ハイブリッドに至るまでのプログラマの歴史を、4つの段階にまとめました。

最初の段階は「リアル・プログラマ」です。1940年代から50年代のコンピュータが発明された当初の「真の」プログラマ達です。その多くは、国家的プロジェクトによって建造された巨大なマシンを使ってプログラミングできるエリート達でした。そのあとに続くのが「ハッカー」の時代です。1960年代から70年代にかけて、大学の研究室などでもコンピュータが利用できるようになった時代に生まれました。コンピュータをハックすることで、コンピュータゲームをはじめとしたさまざまなカルチャーを生み出しました。1980年代になると、一般家庭にコンピュータが普及し始めて、誰にでもプログラミングができるチャンスが生まれました。これが「アマチュア」の時代です。これらの時代に続く、現代のプログラマ像として提示しているのが「ハイブリッド」なプログラマです。ここでハイブリッドが意味するのは、何か別の専門分野とプログラミングとの混合です。現代でも専業のプログラマは数多く存在します。しかし、これから重要になるのは、ほかの専門分野を持ちつつプログラミングによって実現する能力なのです。アーティスト、デザイナー、建築家、教師、作曲家、データサイエンティストといったさまざまな職種でプログラミング能力が必要とされています。Processingは、こうしたハイブリッドなプログラマのために開発されたプログラミングの環境です。プログラマになるためにプログラミングを学ぶのではなく、プログラミングで何かを創造したい人達のための道具なのです。

多くの便利なアプリケーションが開発され普及するようになり、いつの間にかコンピュータを利用することとプログラミングすることが乖離してきました。専門のプログラマ達が開発したアプリケーションを業務で使用するようになると、コンピュータがどんどんつまらなく味気ない存在になってしまいます。PCなどなくても、スマートフォンやタブレットで十分という意見もあります。また、人工知能が発達すればプログラミングは必要なくなると予想する人達もいます。しかし、現段階ではスマートフォンやタブレットでプログラミングすることは困難ですし、人工知能によってすべて作られる未来が本当だとすると、人間は何も生み出さずただコンテンツを消費し、巨大企業にデータを提供するだけの存在になってしまいます。

コンピュータは与えられたアプリケーションを消費するだけではなく、新たに何かを生み出すことができます。プログラミングで何かオリジナルなものを創造することこそ、コンピュータの根源的な力であり、最も刺激的な行為なのです。そうして何かを生みだす行為は、たとえ人工知能が普及したとしても失われることなく続くと信じています。この本は、そうしたハイブリッドなプログラマを目指す方々のために書きました。この本を足掛りにして、新たな創造の可能性が拡がることを願っています。

注1　Casey Reas, History of the Future, Art & Technology from 1965 - Yesterday | Casey Reas | The Gray Area Festival, https://www.youtube.com/watch?v=mHox98NFU3o

目次

クリエイティブ・コーディングの世界

ここでは本書で解説されるプログラミングの実行結果を掲載します。Processingは色や形や動きを操作して、複雑な計算による美しい表現の世界を実現します。解説を読み進める前にProcessingでどんな表現ができるのか確認してみましょう。また、解説の理解を促すために、参考画像をカラーで掲載しています。

■ パーリンノイズによるパーティクルの軌跡の描画（P138、図8.7）

■ 大量の円の描画（P77、図5.1）

■ 画像を円で再生成（P153、図9.11）

画像を線の長さと角度で再生性（P155、図9.12）

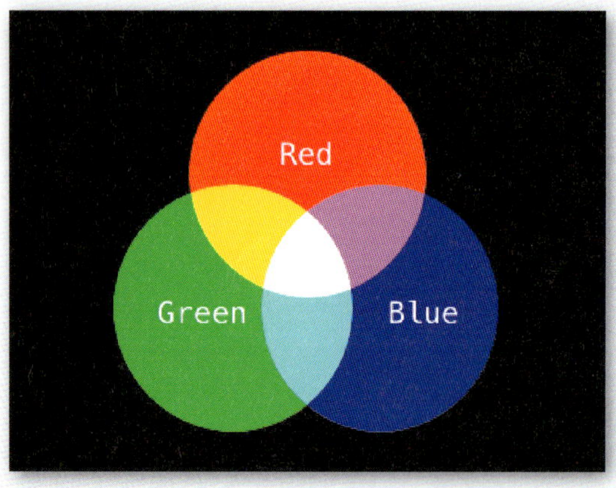

■ 光の三原色（P35、図1.12）

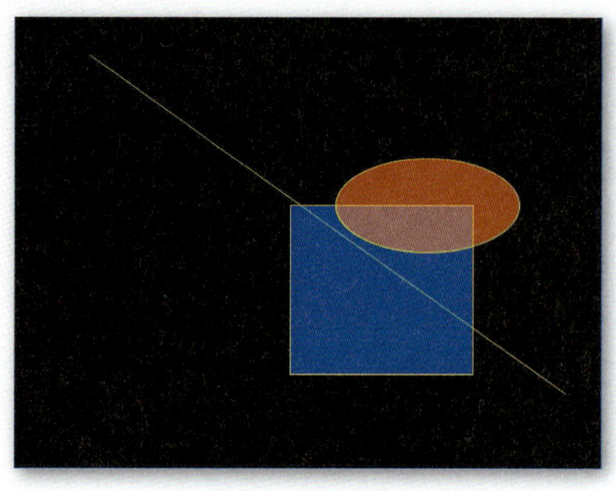

■ 楕円に別の色を追加（P39、図1.15）

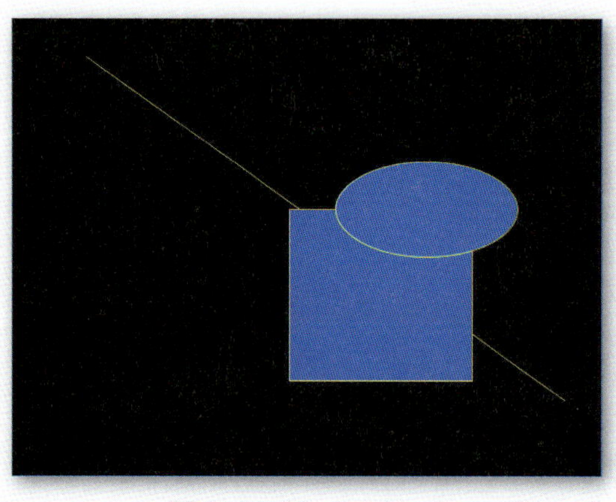

■ 基本図形に色を追加（P37、図1.13）

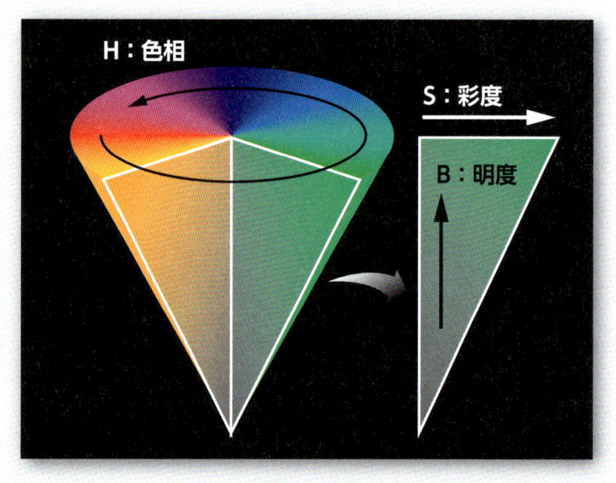

■ HSB色立体（P39、図1.16）

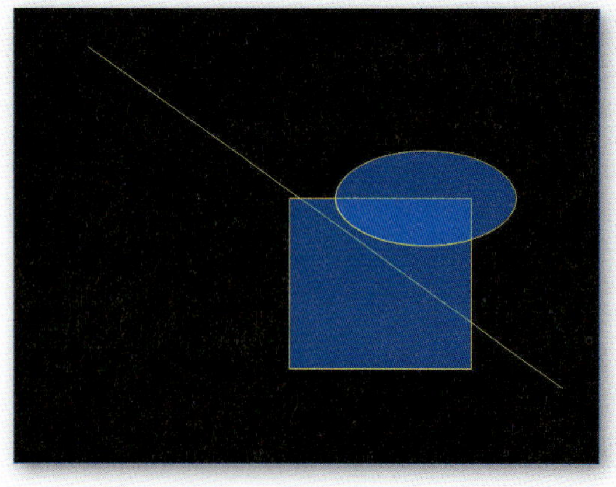

■ 基本図形に透明度を加える（P38、図1.14）

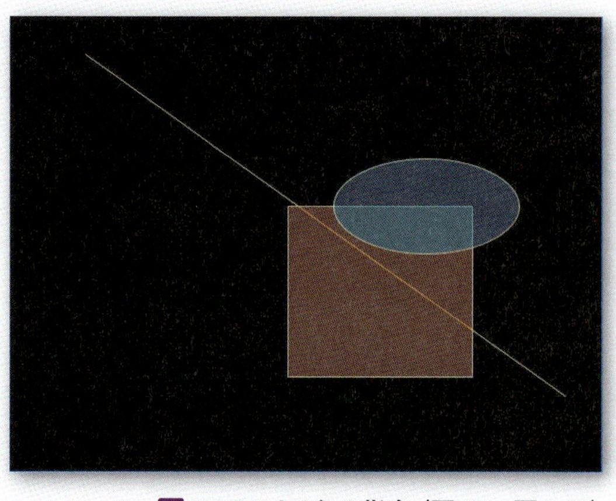

■ HSBによる色の指定（図40、図1.17）

■ 大量の点が別々に動く（P63、図4.1）

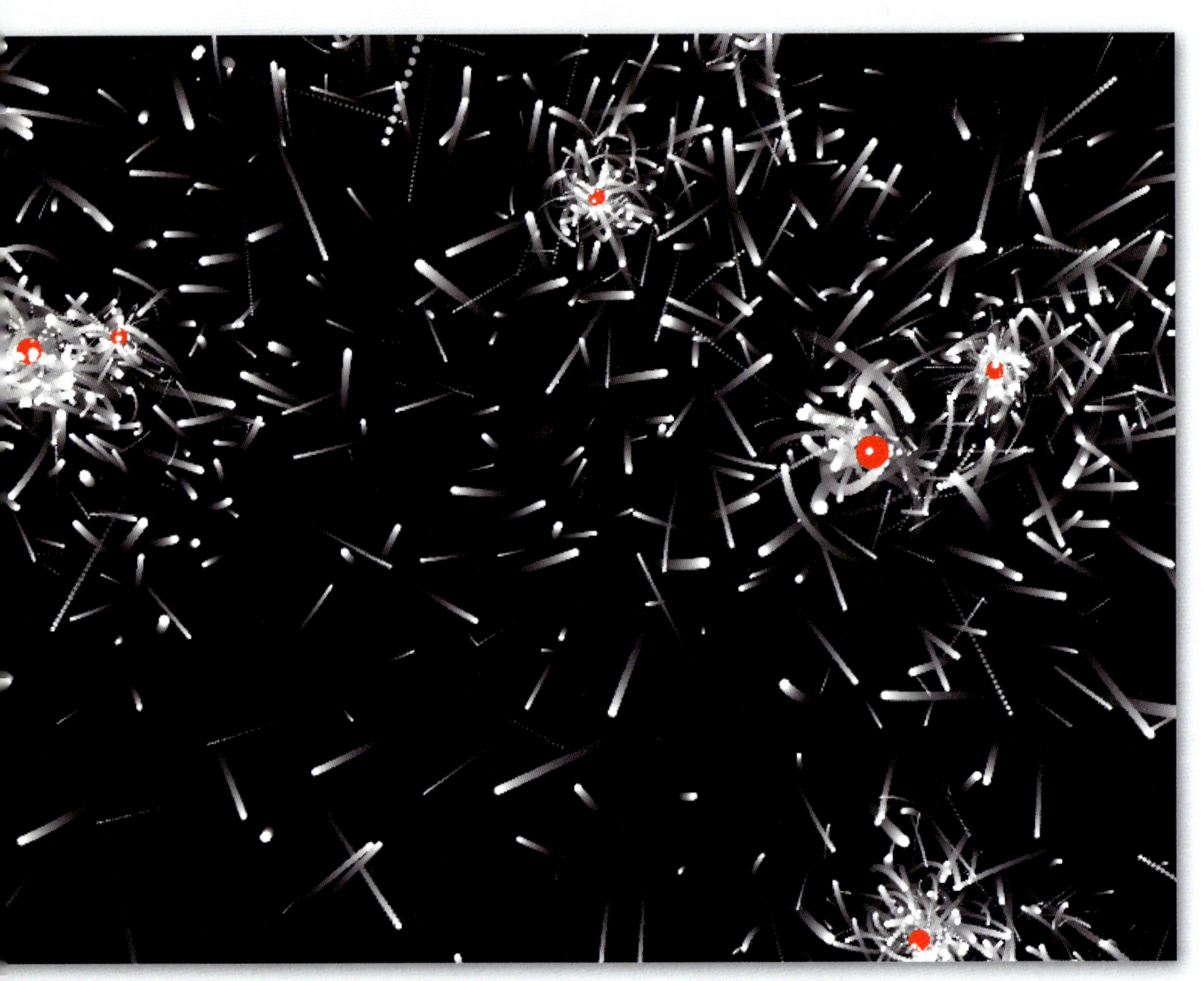

引力に引き寄せられるパーティクル（P131、図8.3）

膨張する円による描画（P140、図9.1）

■ ガウスぼかし（P147、図9.5）

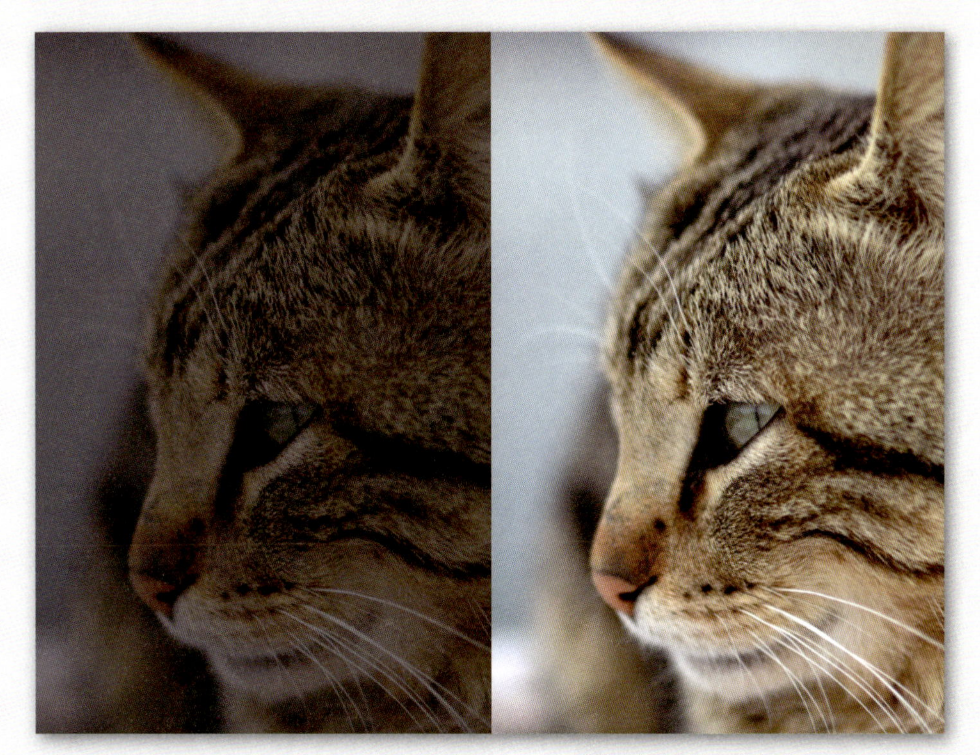

■ 画像の明るさを変更（P144、図9.3）

■ 画像の色合いを変更（P145、図9.4）

■ ピクセルの色を取得（P149、図9.8）

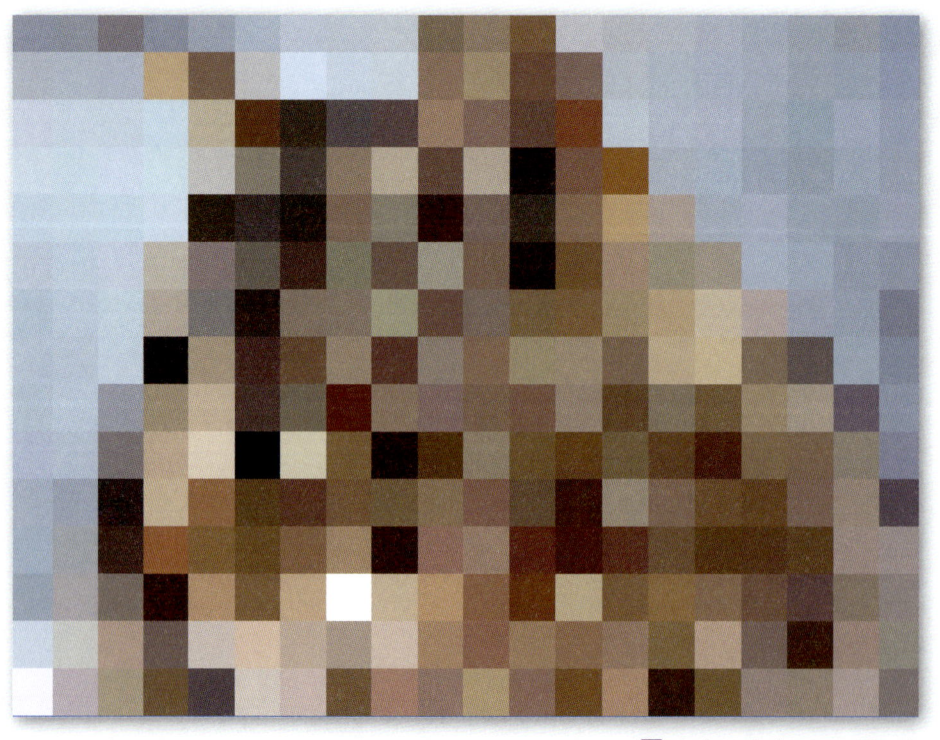

■ モザイク化（P150、図9.9）

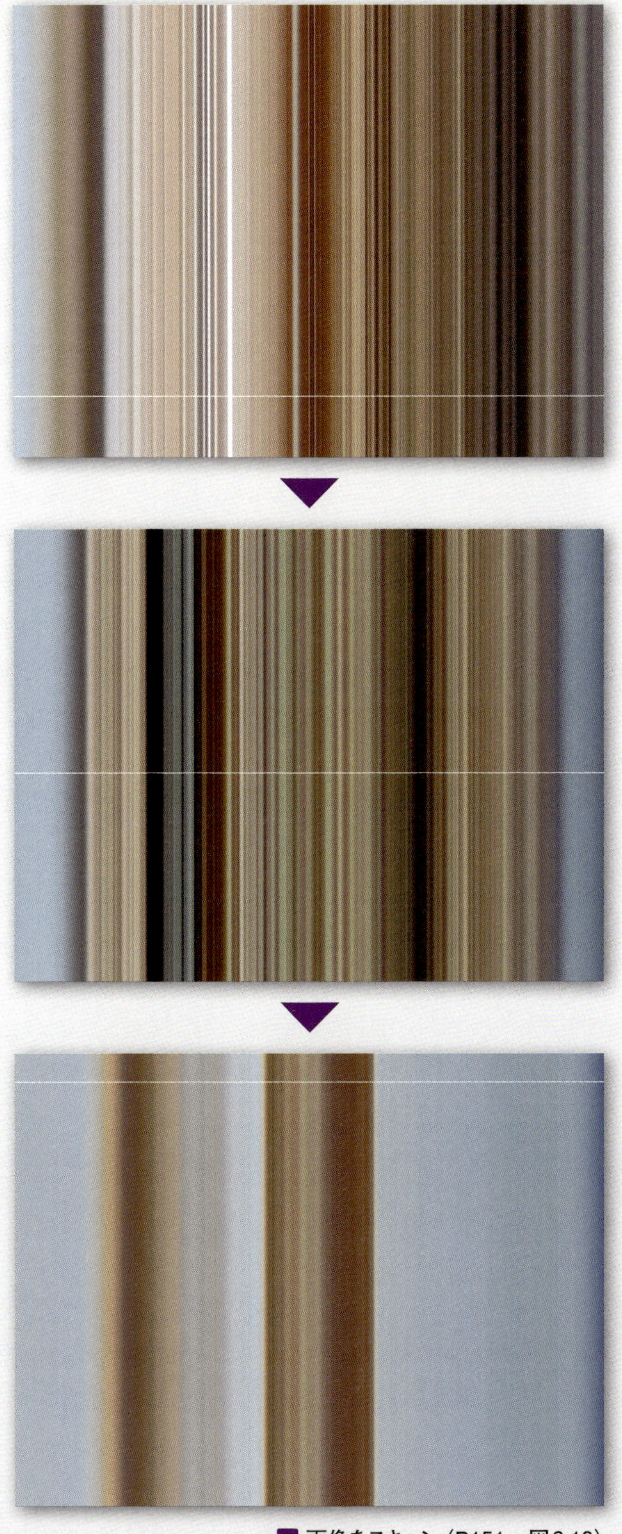

■ 画像をスキャン（P151、図9.10）

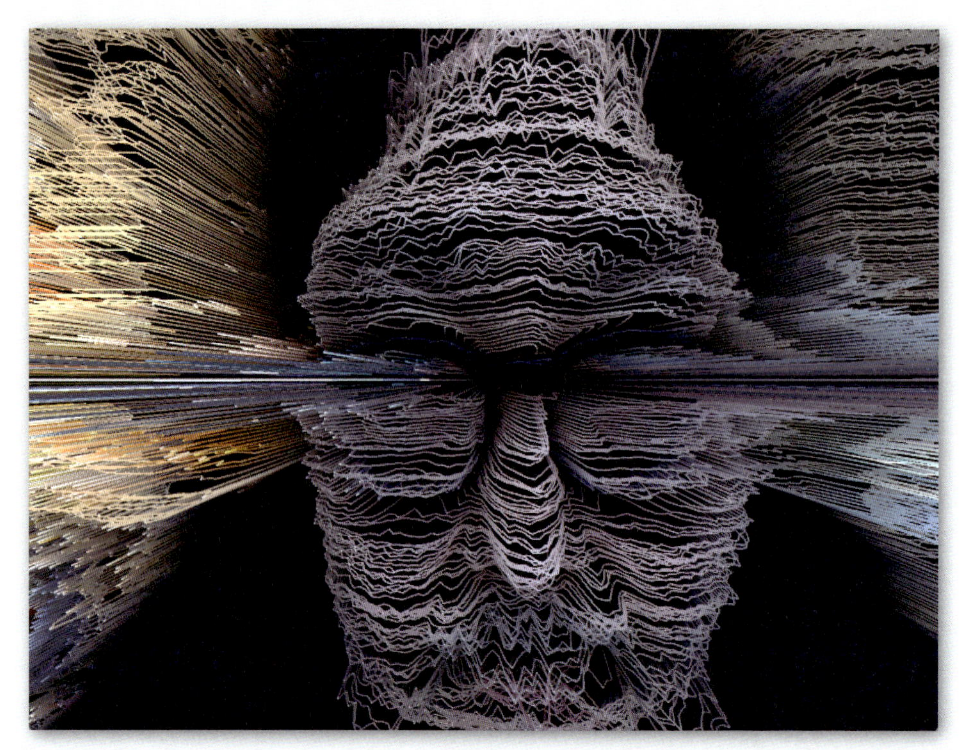

■ オーディオ・リアクティブ・ビデオ（P169、図11.1）

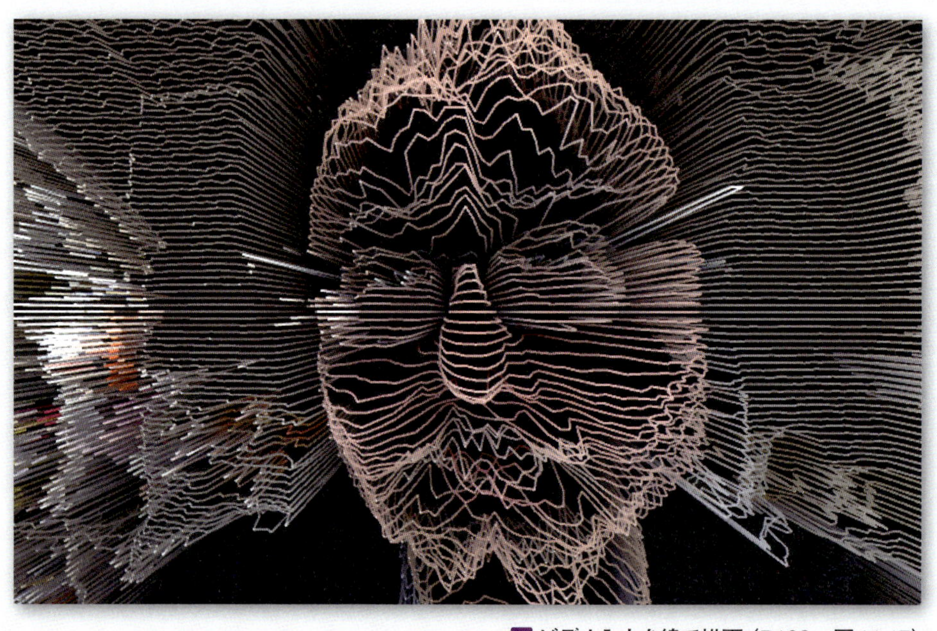

■ ビデオ入力を線で描画（P193、図11.17）

■ 色のグラデーション（P191、図11.16）

■ カメラからの映像をスキャン（P179、図11.8）

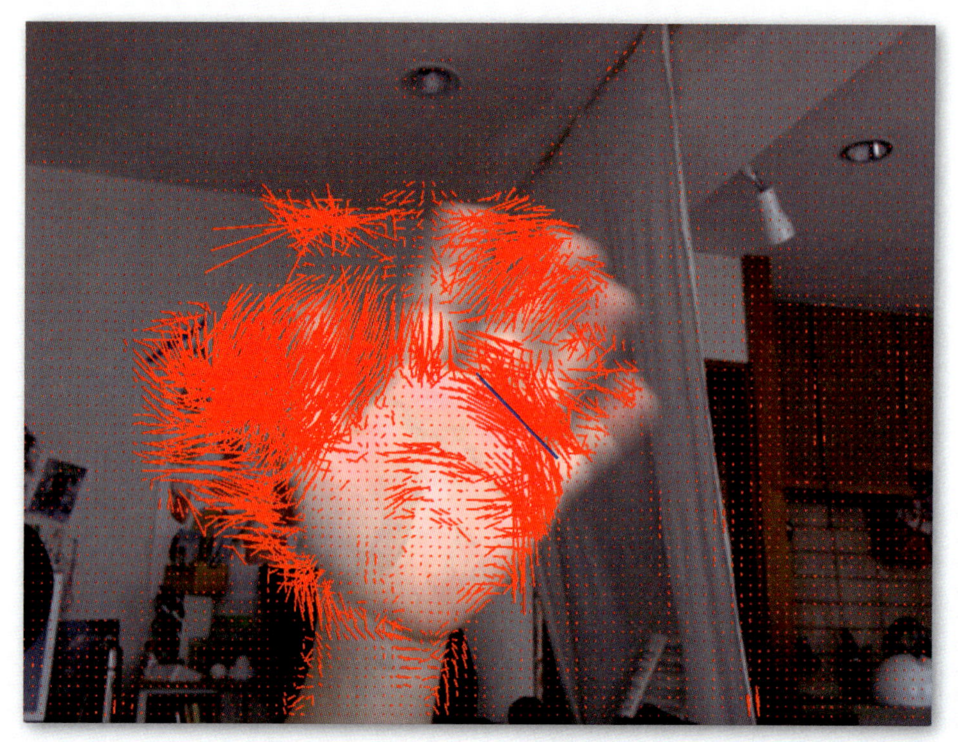

図15.2 オプティカルフロー（P231、図15.2）

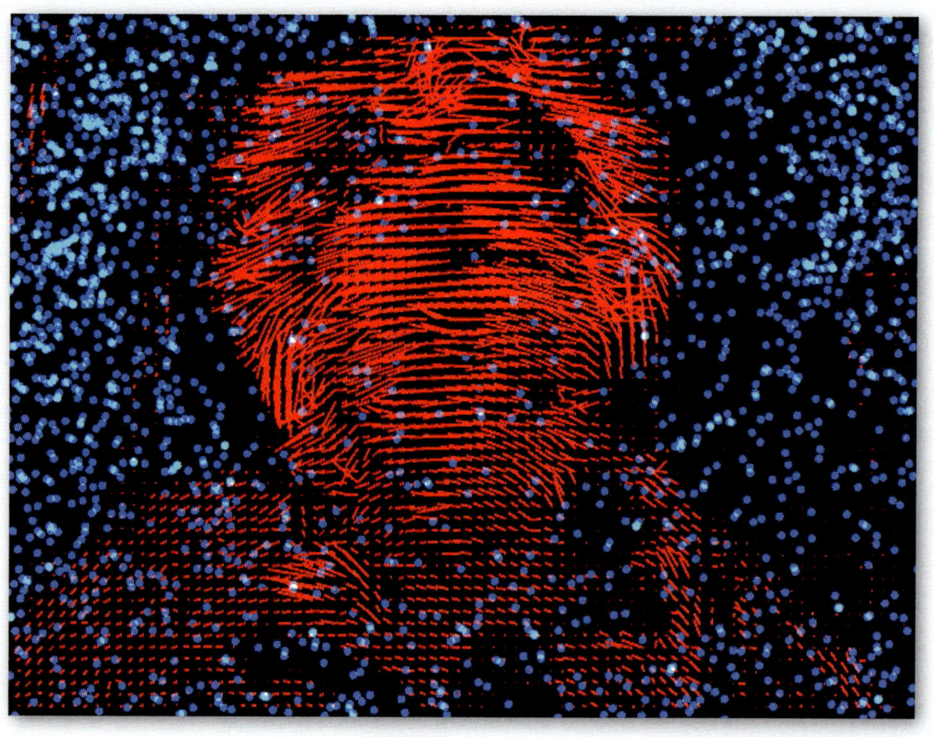

図15.3 オプティカルフロー＋パーティクル（P236、図15.3）

入門編

本 Part では、まず Processing をお使いの PC にセットアップし、簡単なサンプルプログラムを例に基本図形やアニメーションの描画方法を説明します。Processing を使いこなすためには座標や時間構造などを理解する必要がありますが、サンプルプログラムの動きを参考にしながら読み進めてください。

Processingによるクリエイティブ・コーディング

プログラミングによって表現をするために使う道具、つまり開発環境には、さまざまなものが存在します。例えば、C言語やJavaといった汎用的なプログラミング言語を用いる方法、JavaScriptなどのWebブラウザ上で実行されるプログラミング言語、Max/MSPやvvvvなどのビジュアルプログラミング環境など、たくさんの開発環境が開発され利用されています。

本書では「Processing」という開発環境を用いて、クリエイティブな表現を探求していきます。Processingを用いる理由はいくつかあります。1つは導入の容易さです。Processingはアプリケーションをダウンロードしてインストールするだけで、すぐに開発を始められます。付随するライブラリをインストールしたり、統合開発環境(IDE)を用意する必要はありません。2つ目は、習得の容易さです。Processingの文法はとてもシンプルでわかりやすく設計されていて、プログラミングの初心者が初めに触れるプログラミング言語として適しています。実際に、世界中の多くの高校や大学でのプログラミングの導入クラスでProcessingが活用されています。3つ目は拡張性と表現力です。Processingは、簡易な文法でありながら拡張性に富んでおり、オブジェクト指向の本格的なプログラム構造を適用できます。その結果、生成されるビジュアルはとても表現力が豊かであり、作品の最終出力として使用できるクオリティを持っています。

Processingの思想はひとことでまとめるなら「創造的(クリエイティブ)な作業に専念できるプログラミング環境」と言えるでしょう。ここ数年、こうした発想のプログラミングを指して「クリエイティブ・コーディング(Creative Coding)」という用語が使われるようになり、注目を浴びています。

コンピュータの演算能力が発達し、手元にあるPCで一昔前のスーパーコンピュータ並の演算ができるようになった現在、それを用いて何を表現するのかはとても重要になってきています。ただ単に技術を使いこなすのではなく、プログラミング技術を踏まえた上で何かオリジナルな表現を創造する「クリエイティブ・コーダー」はこれから多くの分野で必要とされるでしょう。

COLUMN

Processingの歴史と派生した環境

Design by Numbers (1999 −)

Processingに先行して大きな影響を与えている開発環境として、1999年に発表された「Design by Numbers」が挙げられます。

Design by Numbersは、MITメディアラボのAesthetics and Computation Group(ACG)を率いていたジョン前田によって開発された実験的なプログラミング開発環境です。デザイナーやアーティストといったプログラマではない人でも簡単にプログラミングが可能な環境を提供することで、「数によるデザイン」を教育しようという目的で生み出されました。

openFrameworks (2005 −)

ザック・リバーマン(Zachary Lieberman)、セオ・ワトソン(Theo Watson)、アルトゥロ・カストロ(Arturo Castro)を中心にしてオンラインのコミュニティをベースに開発されている、C++をベースにしたプログラミング開発環境です。Processingの文法や基本構造を踏襲しており多くの共通性があります。

Processingとopen Frameworksの最大の違いはベースとなる言語がJavaからC++に変更されている部分で、結果としてopenFrameworksは使用するOS上でネイティブのアプリケーションとして動かすことが可能です。そのためProcessingよりも高速な描画や複雑な計算ができ、スピードが重要となるプロジェクトに向いています。

Cinder (2010 −)

Cinderもopen Frameworksと同様にC++をベースにした開発環境で、アンドリュー・ベル(Andrew Bell)を中心に、インタラクティブな広告制作会社であるThe Barbarian Groupの元で開発されています。

CinderはopenFrameworksよりもさらにC++の新しいライブラリを積極的に取り入れることで、より高速で最適化された環境を目指しています。また、Processingやopen Frameworksがオンラインのコミュニティをベースにしているのに対して、広告制作会社が中心になっているという点も特徴的です。

p5.js (2011 −)

p5.jsはローレン・マッカーシー(Lauren McCarthy)によって開発されたプログラミング開発環境で、現在はProcessing Foundationのサポートを受けながら開発が継続しています。p5.jsの最大の特徴はJavaScriptで書かれているという点です。つまり、Webブラウザ上でプラグインなどを使用することなくスケッチを実行できます。

また、Processingと同様、さまざまな拡張機能をライブラリとして利用でき、音や3Dグラフィクス、さらにはHTMLのDOMを直接操作することなどが可能です。

セットアップと基本図形／色の描画

本章では、Processingをご自身の環境にセットアップして、基本的な図形の描画方法や色の考え方を説明します。

Processingのライセンス

Processingは、オープンソースのソフトウェアです。つまり、開発環境を含めてすべてのソースコードが公開され誰でも閲覧可能です。Processingは、GNU GPL（General Public License）ライセンスで配布されています。GNU GPLのライセンスの要旨は次の3点です。

- 著作権表示を保持しなければならず、かつ無保証である
- 誰でも自由に複製／改変／頒布することが許可されている
- GPLライセンスのソフトウェアやプログラムを使用した場合、制作物もGPLライセンスで配布しなければならない

GNU GPLライセンスについての詳細は、GNUプロジェクトの原文（https://www.gnu.org/licenses/gpl.html）を参照してください。

ダウンロードとインストール

さっそくProcessingを入手して、インストールしましょう。Processingのプロジェクトサイト（**図1.1**）からダウンロードします。

ダウンロードページに進むと、プロジェクトへの寄付を募るページが表示されます（**図1.2**）。Processingの開発メンバーへ寄付をしたい場合は、金額を選択してクレジットカードかPayPal経由で手続きをします。寄付はせずに、そのままダウンロードセクションに進む場合は［No Donation］を選択して次に進んでください。

Processingは Windows（32bit/64bit）、macOS、Linux（32bit/64bit）で利用できます（**図1.3**）。OSが異っていても、Processingの文法やアプリケーションの操作方法は同じです。利用している環境に合わせてダウンロードしてください。ダウンロードしたZIPファイルを解凍するとプログラム（Windowsの場合は「processing.exe」）が生成されます。普段アプリケーションを格納しているフォルダにコピーしたらインストールは完了です。

▼図 1.1：Processing のプロジェクトサイト（http://processing.org/）

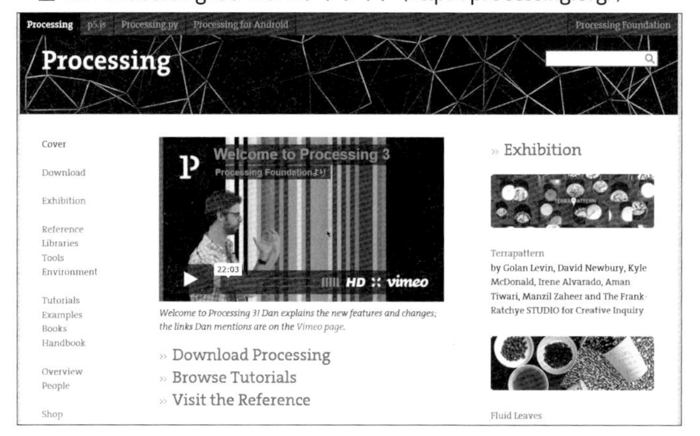

▼図 1.2：Processing のダウンロードページ（https://processing.org/download/）

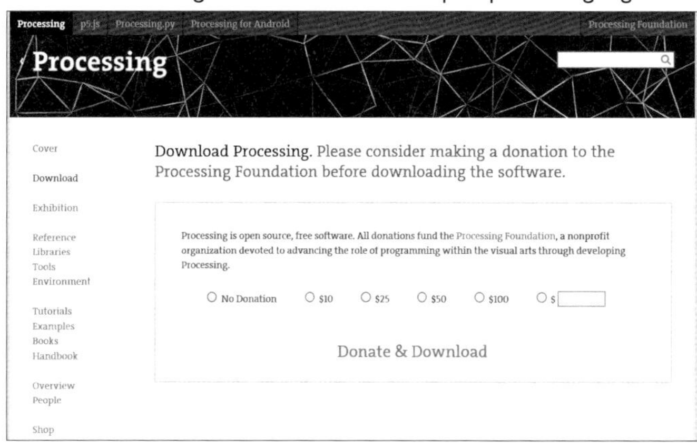

▼図 1.3：Processing のダウンロード選択ページ（2017 年 3 月時点）

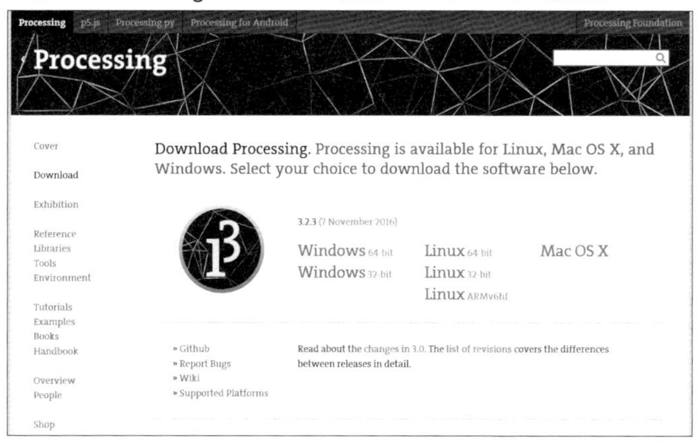

基本操作

インストールしたProcessingを起動してみましょう（macOSの場合は「Processing.app」、Windowsの場合は「processing.exe」をダブルクリックします）。起動すると**図1.4**が表示されます。

▼図1.4：Processingの画面

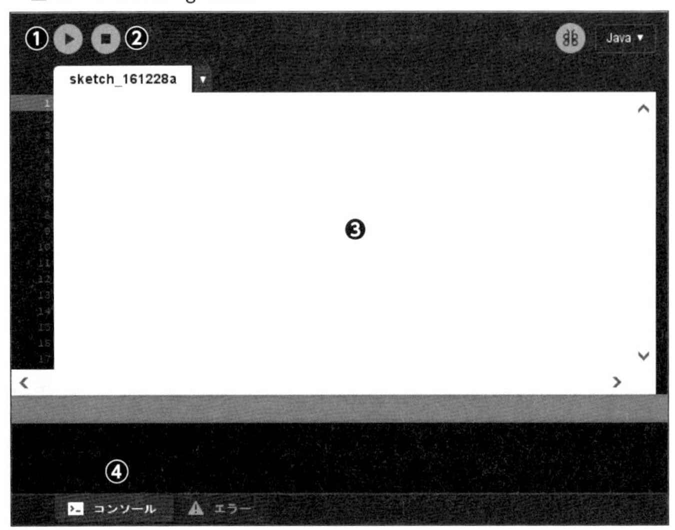

基本操作は上部に配置されたツールバーから行います。❶（▶）はプログラムの実行（Run）で、❷（■）は実行しているプログラムの停止（Stop）です。実行するプログラムは、ツールバーの下にあるテキストエディタ（❸）に記入します。プログラムのエラーメッセージや、プログラムから出力した情報は、テキストエディタの下部にあるコンソール（❹）に出力され表示されます。ファイルの操作や設定の変更など、より詳細な作業はメニューバーにある項目から操作します。

また、Processing上のエディタとコンソールのフォントが「Source Code Pro」のままでは日本語表示ができない場合があります。macOSの場合は、「Processing」→「環境設定」から設定ダイアログを開きます。Windowsの場合は、メニューバーの［ファイル］→［設定］で設定ダイアログ（**図1.5**）を開いて、［エディタとコンソールのフォント］を「MSゴシック」や「Osaka」などの日本語表示が可能なフォントに変更してください。

Processingでは、プログラムのファイルを「スケッチ（Sketch）」と表現します。ファイル名を指定せずに保存すると「sketch_xxxxxx.pde」のようにファイル名が指定されます（xxxxxxの部分には日付が入ります）。

画面の構成を一通り理解したところで、実際にプログラムをしながら、基本操作を試していきましょう。

▼図 1.5：設定ダイアログ（macOS）

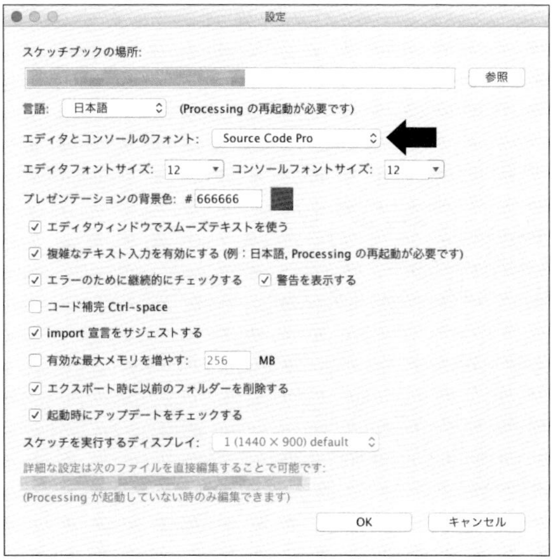

座標と基本図形

PC の画面は二次元の平面です。3D グラフィクスを表示することもありますが、それもあくまで三次元の図形を二次元の画面に投影して擬似的に奥行きを表現しています。

座標の概念

画面に図形を描いていく際に重要となるのが「座標」の概念です。座標とは平面上の 1 点を指定するためのしくみです。では、どのようにしたら平面の 1 点が定まるでしょうか？ 次のような方法が考えられます。

- 画面の中心点から上下左右にどれだけ離れているか
- 画面の中心点からの角度と距離
- 画面の左上から行と列を数えていった数

ほかにもいろいろな指定方法が考えられるでしょう。Processing ではある 1 点を指定するために次の方法を用います。

- 画面の左上を基準にして、右に移動した距離と下に移動した距離で 1 点を表現する

距離の単位はコンピュータで画像を扱う際の最小単位である「ピクセル（Pixel）」を用います。また、右への移動距離を「X 座標」、下への移動距離を「Y 座標」と呼びます。X 座標と Y 座標の

組み合わせを「(X 座標の値 , Y 座標の値)」とまとめて表現することもあります。例えば、X 座標が 200 ピクセル、Y 座標が 150 ピクセルとすると、「(200, 150)」のように表記します（**図 1.6**）。

▼図 1.6：ピクセル単位で示す座標

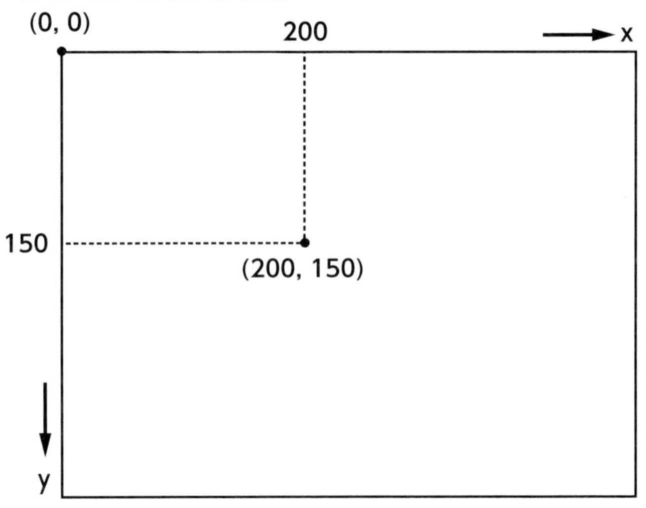

基本図形の描画

まずは、Processing ですぐに記述できる基本図形を描いてみます（**リスト 1.1**）。なお、プログラム中の「;」は命令文の終わりで、「//」以降はプログラムとは関係のない行（主にコメント）と理解してください。

Run ボタンをクリックして、プログラムを実行してみましょう。**図 1.7** のような図形が描画されるはずです。

▼リスト 1.1：基本図形を描く　【実行結果は図 1.7】

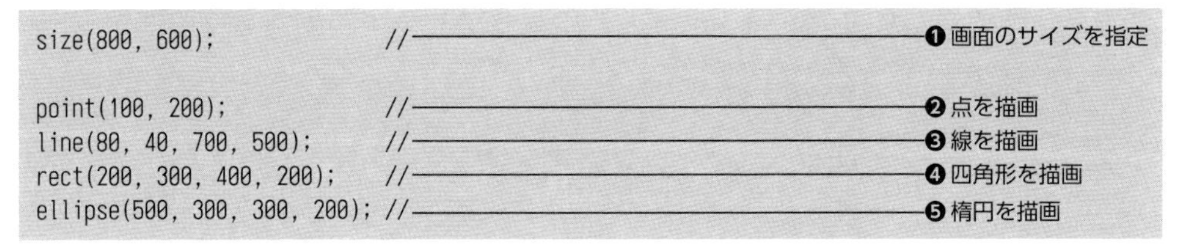

```
size(800, 600);                 //――――――――――――❶画面のサイズを指定

point(100, 200);                //――――――――――――❷点を描画
line(80, 40, 700, 500);         //――――――――――――❸線を描画
rect(200, 300, 400, 200);       //――――――――――――❹四角形を描画
ellipse(500, 300, 300, 200);    //――――――――――――❺楕円を描画
```

▼図1.7：基本図形が描かれる　【リスト1.1の実行結果】

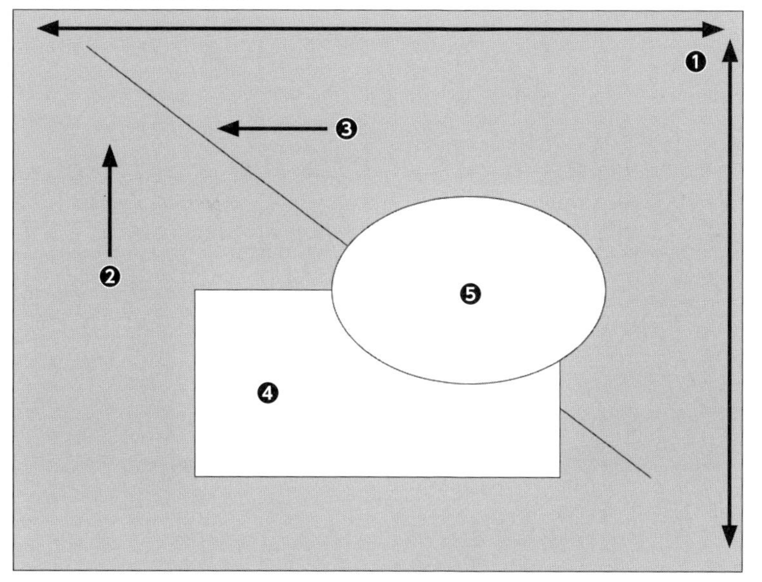

点、線、矩形（四角形）、楕円といった基本図形は、すべて先ほどの座標の考え方を応用して位置や大きさを指定しています。それぞれの図形の座標が、どのように指定されているのか、表示された図形と照らし合わせながら見てみましょう。

画面の大きさ（size）

size はウィンドウ内に表示される画面の大きさを、幅と高さでピクセル単位で指定しています。ここでは幅 800 ピクセル高さ 600 ピクセルで進めますが自由に変更できます。

```
size(幅, 高さ);
```

点（point）

よく注視して見ないと気付きませんが、画面の中に 1 ピクセルの点が打たれています。これは point() によって描かれています。点が描かれる場所の (x, y) 座標を指定します（**図 1.8**）。

```
point(X座標, Y座標);
```

▼図1.8：点

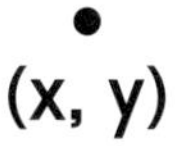

●
(x, y)

直線 (line)

直線を描くには、2つの点を指定して接続します。つまり、開始点と終了点の2組の (x, y) 座標、合計4つの値を指定します (**図 1.9**)。

```
line(X座標①, Y座標①, X座標②, Y座標②);
```

▼図 1.9：直線

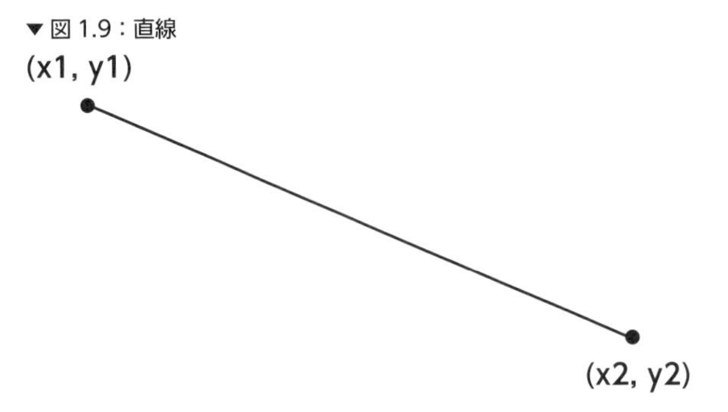

矩形 (rect)

矩形（くけい）を描くには、4つの頂点の (x, y) 座標をそれぞれ指定する (合計8つの値) 方法が思いつきますが、より少ない数の値で描くことができます。**図 1.10** のように左上頂点の (x, y) 座標を指定して、あとは幅と高さを指定する方法です。Processing では、左上の頂点を基準点にして、幅と高さを指定する方法を採用しています。

```
rect(左上のX座標, 左上のY座標, 幅, 高さ);
```

▼図 1.10：矩形

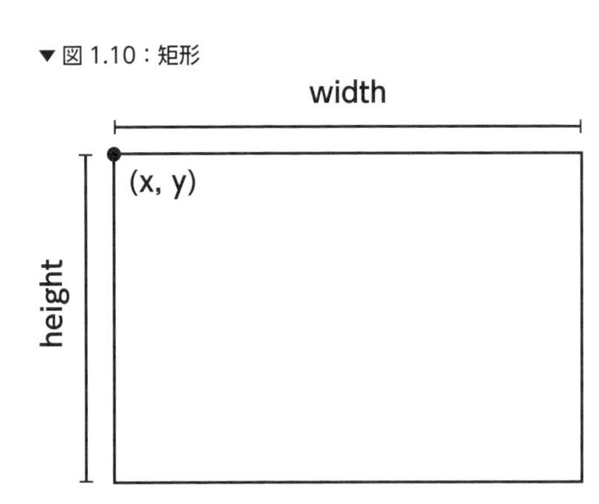

円（ellipse）

楕円を描くには、中心点の（x, y）座標を指定して幅と高さを指定します（**図 1.11**）。幅と高さを同じ値にすると、楕円ではなく真円になります。

```
ellipse(中心X座標, 中心Y座標, 幅, 高さ);
```

▼図 1.11：円

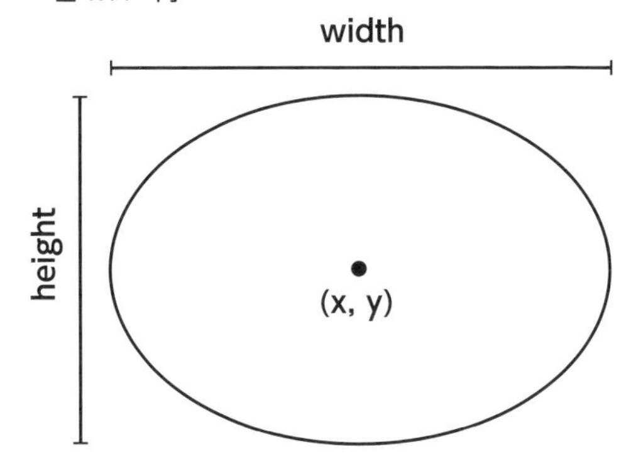

カラー（色）

次に色について考えます。

光の三原色：RGB

Processing は主にコンピュータのモニタやプロジェクタを用いて表示するので、加法混色、つまり Red/Green/Blue（RGB）の光の三原色（**図 1.12**）を指定します。

▼図 1.12：光の三原色（P14 参照）

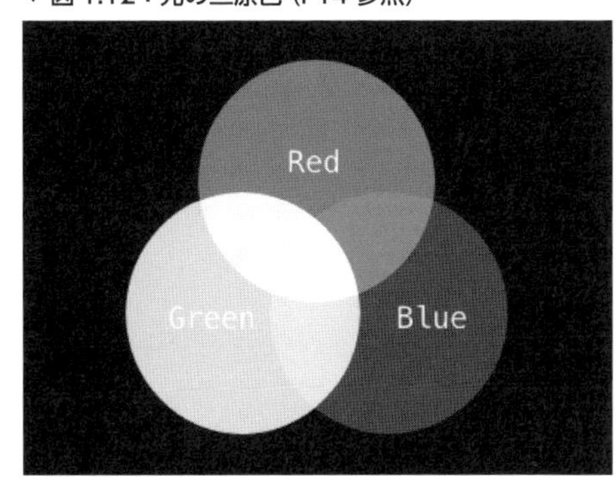

Processingでは、RGBそれぞれのチャンネルで、0から255までの256階調の色を指定できます。256は2の8乗であり8bitと同値です。RGBそれぞれが8bitなので、合計で24bitとなります。10進数で色数を表現すると、16,777,216色となり、人間の目が識別できる限度を越えた階調です。そのため24bitの階調を一般的に「トゥルーカラー」や「フルカラー」と呼んでいます。

色の指定方法

色は、指定する対象によって命令が異なります。

```
background(r, g, b);  // 背景色を指定
stroke(r, g, b));     // 線の色を指定
fill(r, g, b));       // 塗りつぶしの色を指定
```

また、塗りつぶしをせず線だけで図形を描きたい、逆に線は描かず塗りつぶしだけで図形を描きたいときは、次のように指定します。

```
noFill();   // 塗りつぶしなし
noStroke(); // 線なし
```

色の指定で3つの値を指定するとRGBになりますが、1つの値で指定すると自動的にグレースケールの値と解釈されます。つまり、黒から白までの0から255の範囲での灰色の色の明るさでの指定となります。例えば、background(0)だと背景は黒になり、background(255)だと背景は白になります。

```
background(gray); // 背景のグレースケールを指定
fill(gray);       // 塗りつぶしのグレースケールを指定
stroke(gray);     // 線のグレースケールを指定
```

基本図形での指定方法

では、**リスト1.1**で示した基本的な図形に、RGBで色を指定してみましょう（**リスト1.2**）。図形を描く前に、色を指定していることにも注意が必要です。

▼リスト1.2：基本図形に色を指定　【実行結果は図1.13】

```
size(640, 480);

background(0);            // 背景色
stroke(255, 255, 31);     // 線の色
fill(31, 127, 255);       // 塗りつぶしの色
```

```
point(200, 200);              // 点を描画
line(80, 40, 600, 400);       // 線を描画
rect(300, 200, 200, 180);     // 矩形を描画
ellipse(450, 200, 200, 100);  // 楕円を描画
```

▼図 1.13：基本図形に色を追加（P14 参照）　【リスト 1.2 の実行結果】

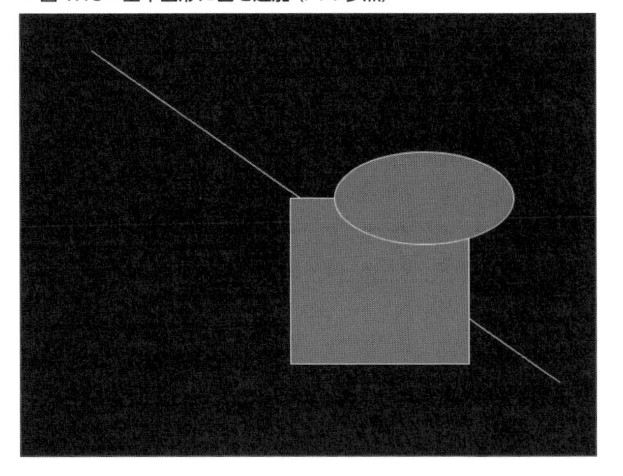

透明度

光の三原色 RGB に加えて、さらに透明度も 0 から 255 の 256 階調（= 8bit）で指定できます。透明度は、fill()、stroke() で使用します。透明度の階調付きの色は、24bit + 8bit で、32bit カラーと呼ばれます。透明度は RGB に加えて 4 つ目のパラメータとして指定します。透明度はアルファ（Alpha）の頭文字を取って A と表現され、透明度を加えた色を RGBA と記述することもあります。

Processing では次のように指定します。

```
background(r, g, b, a); // 背景色を指定
fill(r, g, b, a);       // 塗りつぶしの色を指定
stroke(r, g, b, a);     // 線の色を指定
```

では、**図 1.13** に透明度を加えてみましょう（**リスト 1.3**）。透明度を加えることで、**図 1.14** のように下の図形が透けて見えます。四角形と楕円を別の色で塗り分けることもできます。**リスト 1.4** のように図形を描く前に色を指定し直せばよいのです。

▼ リスト 1.3：fill による透明度の指定 【実行結果は図 1.14】

```
size(640, 480);

background(0);
stroke(255, 255, 31);
fill(31, 127, 255, 127); // 塗りつぶしを50%の半透明に

point(200, 200);
line(80, 40, 600, 400);
rect(300, 200, 200, 180);
ellipse(450, 200, 200, 100);
```

▼ 図 1.14：基本図形に透明度を加える（P14 参照）

【リスト 1.3 の実行結果】

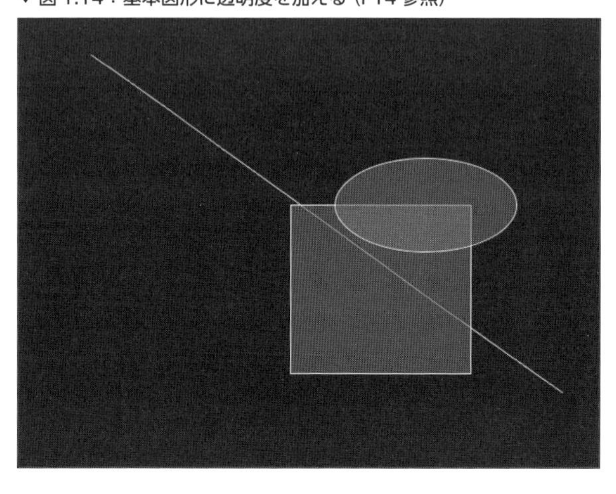

▼ リスト 1.4：ellipse（円）に別の色を指定 【実行結果は図 1.15】

```
size(640, 480);

background(0);
stroke(255, 255, 31);

point(200, 200);
line(80, 40, 600, 400);

fill(31, 127, 255, 127); // 矩形の色
rect(300, 200, 200, 180);

fill(255, 127, 31, 127); // 楕円の色
ellipse(450, 200, 200, 100);
```

▼図 1.15：楕円に別の色を追加（P14 参照）　　【リスト 1.4 の実行結果】

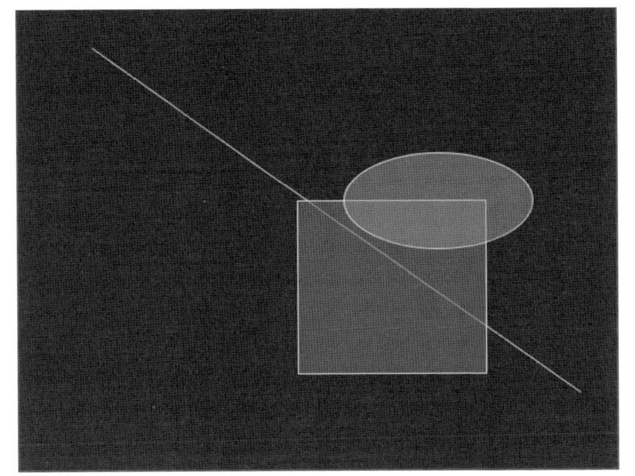

もう 1 つの色の指定方法：HSV

RGB や RGBA による色の指定は、コンピュータモニタでの色の表示方式をそのまま素直に数値化したものです。しかし RGB による指定は必ずしも人間の色彩の知覚と一致しているとは言えません。

例えば、ある色の色調を調整する際に「もっと明るく」とか「もっと鮮かに」とか「もう少し黄色っぽく」といった指定をするのが自然でしょう。しかし、RGB ではこうした調整が簡単ではありません。

人間の色覚により近い色の指定方法として、HSB 色空間というモデルがあります（**図 1.16**）。これは、「色相（Hue）」「彩度（Saturation）」「明度（Brightness）」のそれぞれの頭文字を表しています。「色相」は赤、オレンジ、黄色、緑、青などの色の種類を 360° の円で示します。「彩度」とは色の鮮やかさです。色の純度と言い換えてもよいでしょう。最後の「明度」は色の明るさです。

▼図 1.16：HSB 色立体（P14 参照）

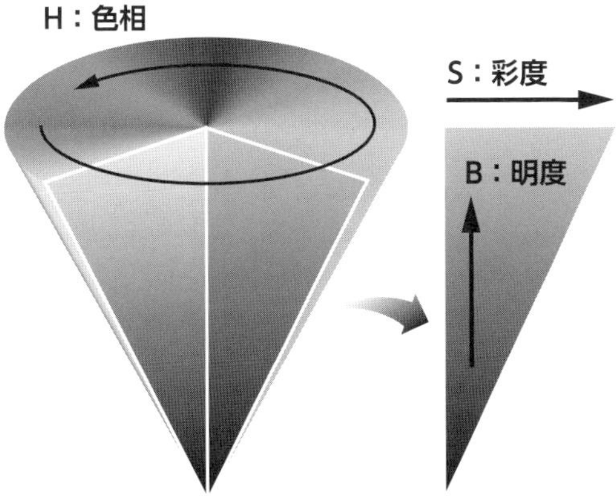

H：色相

S：彩度

B：明度

Processingで色の指定にHSBモデルを使用するには、プログラムの最初に宣言する必要があります。これにはcolorModeという命令を使用します。colorModeはモードに加えてそれぞれのパラメータの階調の数を指定します。

```
colorMode(HSB, H階調数, S階調数, B階調数, A階調数);
```

例えば、色相を360、彩度と明度と透明度を100の階調で表現するには次のようにします。

```
colorMode(HSB, 360, 100, 100, 100);
```

では、**リスト1.4**をHSBモデルで塗り直してみましょう(**リスト1.5**)。

▼リスト1.5：colorModeにHSBを指定 【実行結果は図1.17】

```
size(640, 480);

// HSBで色を指定する。色相 (360° )、彩度 (100) 、明度 (100) 、透明度 (100)
colorMode(HSB, 360, 100, 100, 100);

background(0);
stroke(60, 30, 80);

point(200, 200);
line(80, 40, 600, 400);

fill(30, 80, 80, 50); // 矩形の色
rect(300, 200, 200, 180);

fill(200, 80, 80, 50);  // 楕円の色
ellipse(450, 200, 200, 100);
```

▼図1.17：HSBによる色の指定(P14参照) 【リスト1.5の実行結果】

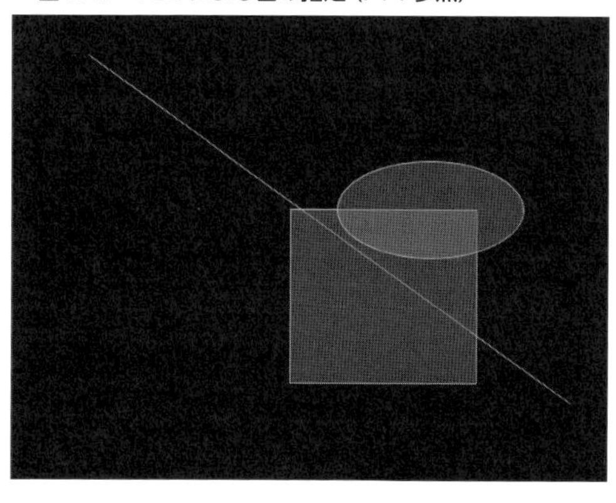

プログラミングの基本

前章では、点や線、矩形や円を描き、色を付けました。せっかくコンピュータを用いるのであれば、プログラミング言語のパワーをより効果的に利用していきたいものです。本章では、繰り返し、条件分岐、乱数発生といった制御構造をプログラミングしていきます。

Processingの特徴

Processingは、Javaをベースに拡張した開発環境です。基本的なプログラミングの文法はJavaをベースにしています。まずは、データ型やシステム変数から見ていきましょう。

データ型

Processingでは、Javaで使用できるデータ型の多くを変数として使用できます（**表2.1**）。また、color型のようにProcessingで独自に拡張されたデータ型もあります。

▼表2.1：Processingの型

データ型	意味	例
boolean	真か偽か	true
byte	8bit分の数値	-1, 10, 32
char	文字（1文字）	A, b, $
color	色の値、color()もしくは16進数の値#	color(31, 127, 255), #3399ff
double	64ビット倍精度浮動小数点数	3.141592653
float	32ビット倍精度浮動小数点数	2.71828284590
int	32ビット整数	-10, 1, 256
long	64ビット整数	-10, 1, 256

同じ整数を格納するデータ型に「int」と「long」、少数では「float」と「double」があります。両者の違いは、扱える数値の範囲です。例えば整数の場合は次のように範囲が大きく異なります。

- int：-2147483648～2147483647
- long：-9223372036854775808～9223372036854775807

常に広範囲を格納できる「long」や「double」を使えばよいと考えるかもしれませんが、あまり正しい使用法とは言えません。広範囲の値が格納できる変数を使うと、それだけメモリ消費量が大きくなります。int 型の範囲で足りる数値を扱うのであれば、int 型で宣言します。

システム変数

Processing では、あらかじめ意味が付与された固定の変数がいくつかあります（**表 2.2**）。これらの変数は、宣言をしていなくても特定の値が格納されています。

▼表 2.2：Processing のシステム変数

システム変数名	意味
width	表示したウィンドウの幅
height	表示したウィンドウの高さ
frameCount	現在のフレーム数
frameRate	フレームレート（1 秒間に更新するフレーム数）

変数を使ったプログラム

変数とシステム変数について理解したところで、color 型と float 型の変数と、システム変数 width と height を使用して円を複数描くサンプル（**リスト 2.1**）を作成してみましょう。

▼リスト 2.1：変数とシステム変数を利用して描画する 【実行結果は図 2.1】

```
size(800, 600);
colorMode(HSB, 360, 100, 100, 100);

background(0);
noStroke();

// 円の直径をfloat型で格納する
float diameter;
// 色相、明度、彩度、透明度をfloat型で格納する
float hue, saturation, brightness, alpha;
// 色を格納する変数
color col;

// 色の値（HSBA）を代入する
hue = 200;
saturation = 100;
brightness = 20;
alpha = 90;
diameter = width / 2;  // 円の直径の値を画面の半分に設定する
col = color(hue, saturation, brightness, alpha);    // 色を生成して代入する

fill(col);             // 設定した色を塗りつぶしの色にする
```

```
ellipse(width / 8, height / 2, diameter, diameter); // 円を描く

brightness += 20;       // 色の明度を20増加させ、塗りつぶしの色にする
col = color(hue, saturation, brightness, alpha);    // 色を生成して代入する
fill(col);              // 設定した色を塗りつぶしの色にする
ellipse(width / 8 * 3, height / 2, diameter, diameter); // 中心座標を移動して円を描く

brightness += 20;
col = color(hue, saturation, brightness, alpha);
fill(col);
ellipse(width / 8 * 5, height / 2, diameter, diameter);

brightness += 20;
col = color(hue, saturation, brightness, alpha);
fill(col);
ellipse(width / 8 * 7, height / 2, diameter, diameter);
```

width / 2 のように円の大きさを画面の半分に設定し、width / 8、width / 8 * 3、width / 8 * 5 のようにして中心座標を移動させています。

▼図 2.1：変数を利用して複数の円を描く　【リスト 2.1 の実行結果】

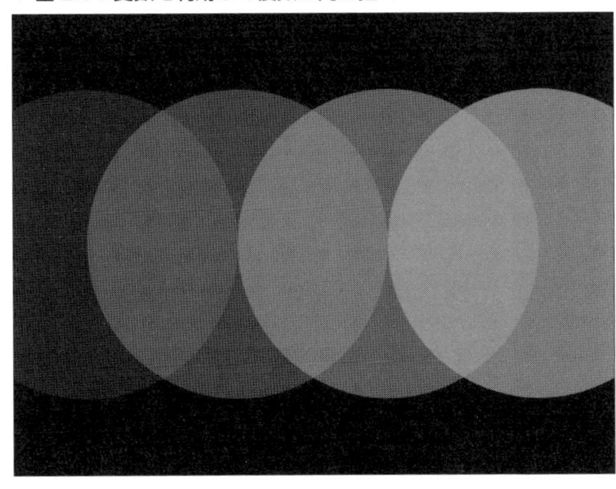

COLUMN

四則演算

Processing の四則演算は、Java と同様に「+」（加算）、「-」（減算）、「*」（乗算）、「/」（除算）があります。また、「A += 20」のように「+=」という表記もあります。これは「A = A + 20」と同じ意味で、A に 20 を加算しています。

制御構造

次に、基本的なプログラムの制御構造について整理していきましょう。上から順番に実行するほかに、一定の条件を満たす限り実行を繰り返したり、ある条件によって処理を切り替える構造があり、これらがプログラムの構造化における基本となります。

順次

ここまで扱ってきたサンプルは、上から順番に命令を実行していき、最後の行で終了するというシンプルな構造でした。このようにプログラムに記載されたとおりに逐次処理していく構造を「順次」と呼びます。

反復

一定の条件を満たす限り実行する構造を「反復」と呼びます。反復構造を作成するには、for 文を用います。Processing の for 文は Java や C などで用いられる文法を踏襲しています。

```
for(初期化; 反復の継続条件; カウンタ変数の更新) {
    式;
}
```

リスト 2.1（左から円を描いていくプログラム）を、for 文を使ってまとめてみましょう（**リスト 2.2**）。反復する数を「4」から「12」に増やしてみます。

▼ リスト 2.2：for 文を使った繰り返し　　【実行結果は図 2.2】

```
size(800, 600);
colorMode(HSB, 360, 100, 100, 100);
background(0);
noStroke();

float diameter;
float hue, saturation, brightness, alpha;
color col;
int num = 12;

hue = 200;
saturation = 100;
brightness = 20;
alpha = 90;
diameter = width / num * 2;

// num回繰り返し
for (int i = 0; i < num; i++) {
  col = color(hue, saturation, brightness, alpha);
  fill(col);
```

```
  // numの値から位置を計算する
  float x = width / num * i + diameter / 4;
  ellipse(x, height / 2, diameter, diameter);
  // 明度を100/numを増加する
  brightness += 100 / num;
}
```

▼図 2.2：for 文を使って円が複数描画される　【リスト 2.2 の実行結果】

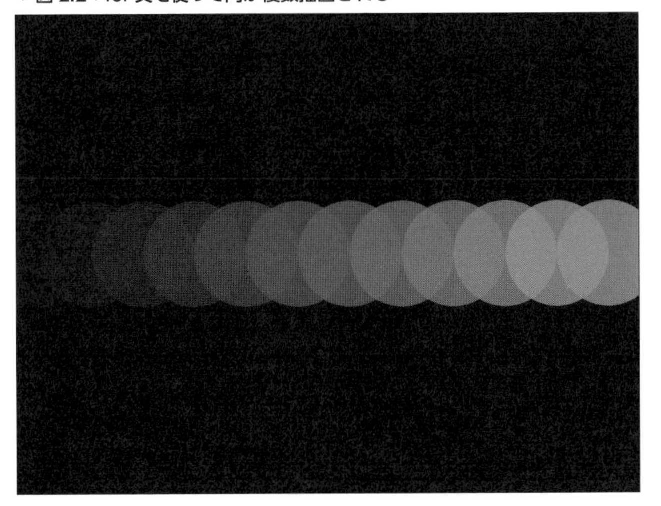

ここでは反復回数を int num = 12 のように設定して、for 文では i < num; としてループの継続条件を決めています。

分岐

分岐には if 文を用います。文法は Java や C の書式を踏襲しています。

```
if (条件式) {
  真文
} else {
  偽文
}
```

では、反復と分岐を用いたプログラム（**リスト 2.3**）を作成してみましょう。画面上にランダムに点を描き、点の位置と画面の中心との位置の距離を測り、距離に応じて点の色を塗り分けてみましょう。

▼リスト 2.3：if 文を使った条件分岐

```
size(800, 600);
background(0);
noStroke();
int num = 100;

// 100回繰り返し
for (int i = 0; i < num; i++) {
  float x = random(0, width);  // 画面の幅いっぱいに生成した値をX座標にする
  float y = random(0, height); // 画面の高さいっぱいに生成した値をY座標にする
  // 生成したランダムな位置と画面の中心との距離を計算する
  float dist = dist(x, y, width/2, height/2);

  // もし、距離が高さの半分よりも小さかったら
  if (dist < height/2) {
    noStroke();                // 線はなし
    fill(63, 127, 255);        // 塗りつぶしの色を設定する
  }
  // もし、距離が高さの半分よりも小さくなかったら
  else {
    noFill();                  // 塗りつぶしはなし
    stroke(31, 127, 255);      // 線の色を設定する
  }

  ellipse(x, y, 10, 10);
}
```

リスト 2.3 では、新たに 2 つの命令（random() と dist()）を使用しています。

random() は、乱数（規則性のない数）を生成でき、画面の中に規則性なく点を配置しています。次のように指定します。

```
random(最小値, 最大値);
```

dist() は 2 点間の距離を求める命令です。次のように指定します。

```
dist(x1, y1, x2, y2);
```

ここでは、ランダムに生成した位置と画面の中央（width/2, height/2）の距離を求めています。実行すると、点の集合に円が浮かび上がります（**図 2.3**）。反復の数（変数 num）を 100 から 1000、さらに 10000 と増やしていくと円の輪郭は徐々にはっきりとしてきます（**図 2.4〜図 2.5**）。

▼ 図 2.3：num = 100 で点を描く

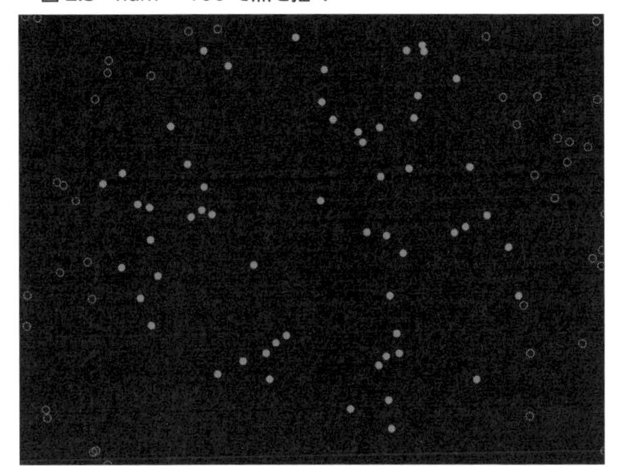

▼ 図 2.4：num = 1000 で点を描く

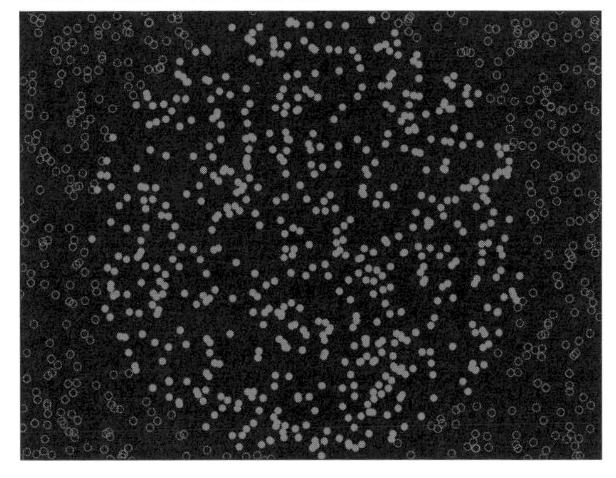

▼ 図 2.5：num = 10000 で点を描く

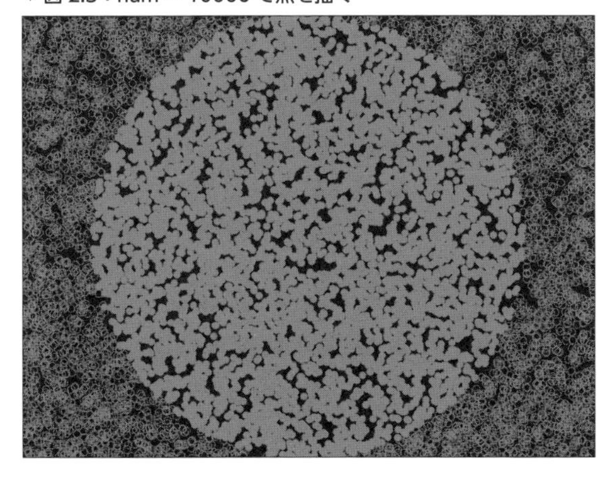

第3章 アニメーションの基本

Processingはパラパラマンガのように表示する図形の位置や大きさなどを少しずつ変化させることでアニメーションを実現できます。まずは、実行されるプログラムの時間構造がどのようになっているのか理解しましょう。

時間構造を作る setup() と draw()

前章までのプログラムには時間構造がありませんでした。例えば「1秒かけて円が左から右に移動する」というようなアニメーションを実現する場合、特定のタイミングで適切な命令を実行するように、時間軸の中でプログラムをコントロールしていく必要があります。

Processingでは、あらかじめプログラムに時間構造をもたせるためのしくみが備わっていて、簡単にアニメーションが実現できます。時間構造を作る際に、大きく次の2つの関数（命令の集まり）に分けてプログラムを構成します。

setup()：起動時に実行させる関数

プログラムが起動した際に一度だけ実行されます。ここで、画面のサイズ指定、背景色の指定、画像やフォントなどの外部データの読み込みなどプログラムの初期設定を行います。

draw()：起動後に繰り返し実行させる関数

setup()の処理が完了したあとに実行されます。draw()はプログラムが終了するまで、指定した時間間隔で繰り返し実行されます。「フレームレート」（実行する時間間隔）はframeRate()で指定します。単位は「fps」(frame per second；1秒間に何度更新するか）で指定します。

setup()とdraw()は**図3.1**のような関係になります。

▼図3.1：setup()とdraw()の関係

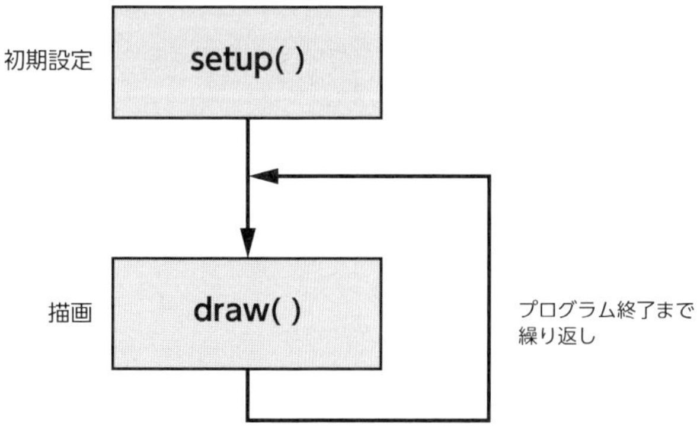

初期設定 setup( )

描画 draw( )

プログラム終了まで繰り返し

時間構造を持ったプログラム例①

リスト 2.3（P46）のランダムに点を配置して、中心からの距離で円を浮かび上がらせるプログラムに時間構造を持たせてみましょう。for 文で一度に点を打つのではなく、draw() を使って時間間隔を置いて 1 つずつ増加させていきます。

setup() と draw() では次のような命令を行います。

- setup()
  →画面サイズを設定する
  →フレームレートを設定する
  →背景色を指定する
  →線の色を設定する
- draw()
  →ランダムに位置を決定する
  →中心からの距離を算出する
  →距離に応じて色を設定する
  →円を描画する

リスト 3.1 は、この方針に沿ったプログラムです。少しずつ点が増えながら、徐々に大きな円が浮かび上がってくるようになりました。setup() と draw() それぞれの前にある「void」は、この関数を実行した結果が何も値を返さないということを意味しています。

▼リスト 3.1：関数によって時間構造を持たせる　【実行結果は図 3.2】

```
// 初期設定
void setup() {
  size(800, 600);
  frameRate(60);
  background(0);
  noStroke();
}

// 繰り返し描画
void draw() {
  float x = random(0, width);
  float y = random(0, height);
  float dist = dist(x, y, width/2, height/2);

  if (dist < height/2) {
    noStroke();
    fill(63, 127, 255);
  }
  else {
    noFill();
```

（次ページへ続く）

```
    stroke(31, 127, 255);
  }

  ellipse(x, y, 10, 10);
}
```

▼ 図 3.2：徐々に点が描かれ大きな円が浮かび上がる　【リスト 3.1 の実行結果】

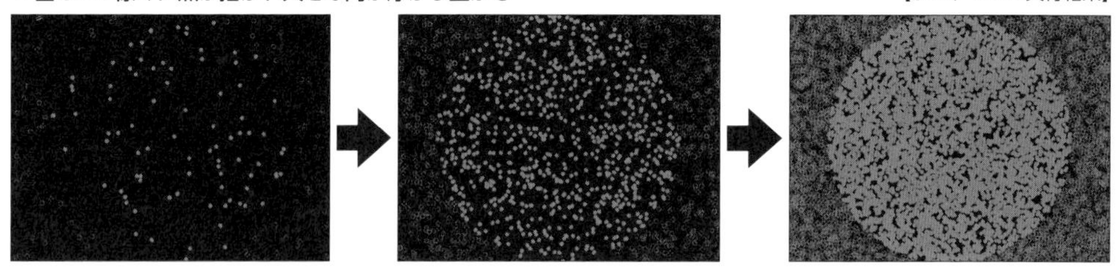

時間構造を持ったプログラム例②

距離に応じて２色に塗り分けるのではなく、なめらかに変化させることで別の効果も生み出せます。例えば、距離に応じて点の大きさを変化させてみましょう（**リスト 3.2**）。

▼ リスト 3.2：dist によって円の直径を算出する　【実行結果は図 3.3】

```
void setup() {
  size(800, 600);
  frameRate(60);
  background(0);
  noStroke();
}

void draw() {
  float x = random(0, width);
  float y = random(0, height);
  float dist = dist(x, y, width/2, height/2);
  // 描画する点の直径を距離から算出する
  float diameter = 30 - dist / 10.0;

  // もし直径が0以上だったら
  if (diameter > 0) {
    // 色を指定して円を描画する
    fill(63, 127, 255);
    ellipse(x, y, diameter, diameter);
  }
}
```

▼図 3.3：中心の点ほど大きく描画される

【リスト 3.2 の実行結果】

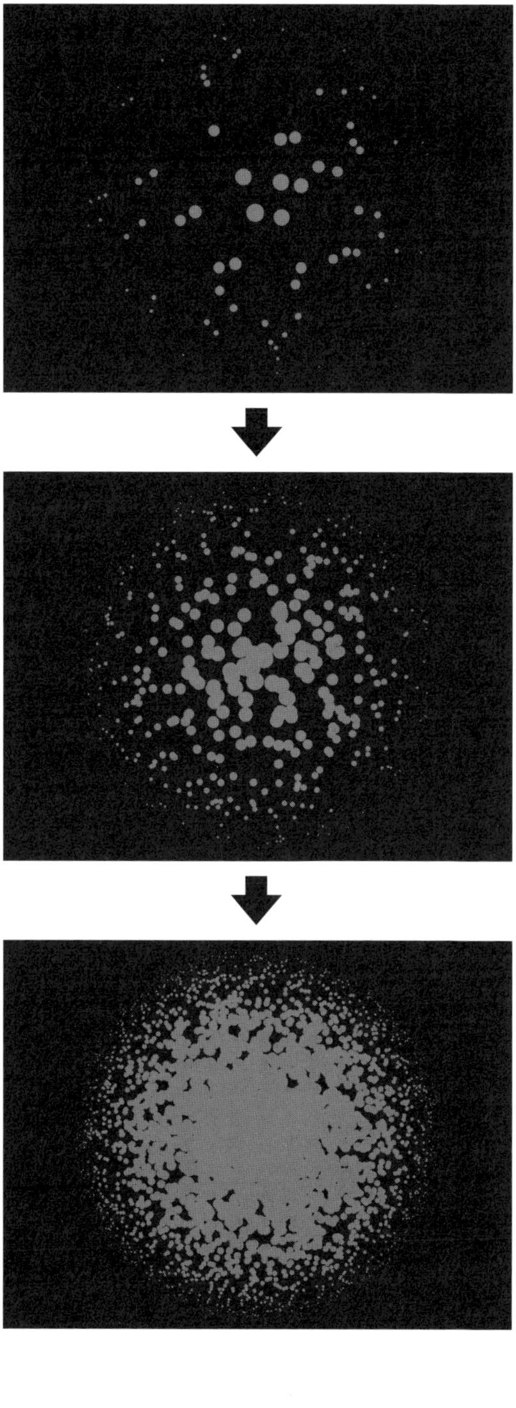

アニメーションの基本①(位置や大きさを変化させる)

ここまでは、点がランダムに生成されて増えていく例を取り上げてきました。では、なめらかに図形が動くようなアニメーションを実現するにはどうすればよいでしょうか？

ページの隅に描いたパラパラマンガを思い出してください。パラパラマンガを描く場合は、新たなコマを描く際に前のコマを描いた跡を参考にしながら、そこから少しだけ位置や形をずらして次のコマを描いていました。つまり、前のコマの跡を参考にするということです。

Processing でも同じような発想でアニメーションを実現します。前のコマの跡を参考にする代わりに、前のコマ（フレーム）の位置、大きさ、色などのパラメータを数値として変数に記録します。そして、そこから少しずつ変化させることで、動きを表現するのです。

位置によるアニメーション

リスト 3.3 は、円が左右にバウンドするアニメーションです。まず、プログラムの冒頭の setup() と update() の外（❶）に変数を宣言しています。このようにプログラム冒頭で宣言すると、setup() と update() の双方で共有して使用できる変数となります。locationX と direction は X 座標の現在位置と向きを共通して使用します。

setup()（❷）では、画面サイズ、フレームレート、色を塗る設定などアニメーションする際に変化しないパラメータを初期化しています。

background()（❸）による背景色の指定は、setup() ではなく draw() の冒頭で行っています。なぜなら 1 フレーム描画するたびに前のフレームを background() で消去して新たに描画するためです。こうすることで前のフレームは消去され新たに次のフレームが描画されます。

次に、if 文の中の条件式（❹）に「||」という記号があります。これは、「A または B」という条件の結合（＝論理和）を表します。つまり「もし X 座標が 0 より小さいか、または画面の幅より大きければ」という 2 つの条件の論理和を意味していて、画面の左右からはみ出した瞬間を検知しています。ちなみに「A かつ B」という論理構造（= 論理積）を記述する場合には、「A && B」と表現します。

アニメーションを適用できる値は、図形の位置だけではありません。大きさ、色、向き、形態などさまざまな値も少しずつ変化させることでアニメーションしているように見せられます。

▼ リスト 3.3：X 座標を変えて円をバウンドさせる　【実行結果は図 3.4】

```
// setup()とdraw()で共通して使用する変数
int locationX; // X座標の現在位置
int direction; // 移動する向き (-1 or 1)

// 初期設定
void setup() {
  // 画面初期設定
  size(800, 600);
  frameRate(60);
  fill(0, 127, 255);
  noStroke();

  // X座標の初期値を0にする
  locationX = 0;
  // 向きの初期値を-1にする
  direction = -1;
}

// 繰り返し描画
void draw() {
  // 背景を描画して前のフレームを消去する
  background(0);
  ellipse(locationX, height/2, 20, 20);

  // 現在の向きに10移動した場所を、新たなX座標にする
  locationX = locationX + 10 * direction;
  // もしX座標が0より小さいか、または画面の幅より大きければ
  if (locationX < 0 || locationX > width) {
    // 向きを逆方向にする
    direction = direction * -1;
  }
}
```

（❶：setup()とdraw()で共通して使用する変数の宣言、❷：setup()、❸：background(0);、❹：if文）

▼ 図 3.4：円が左右に移動する　【リスト 3.3 の実行結果】

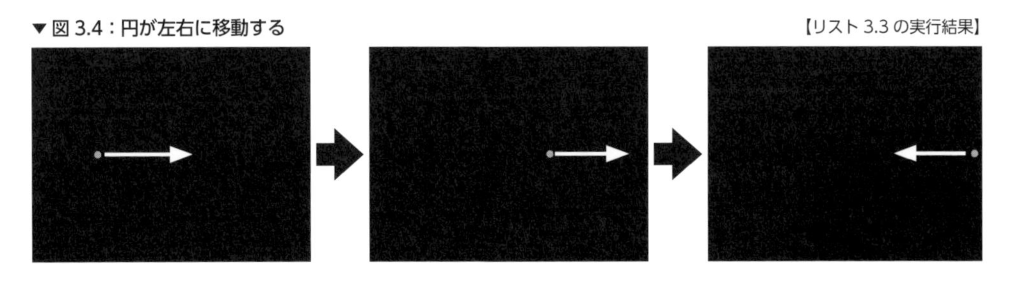

大きさによるアニメーション

円の大きさと色をなめらかにアニメーションさせてみましょう。**リスト 3.4** では、色と大きさを三角関数の正弦を求める sin()（❶）で変化させて、波が振動するようになめらかに繰り返すアニメーションを実現しています。

▼リスト 3.4：sin() によるアニメーション　【実行結果は図 3.5】

```
float diameter;
float hue;

// 初期設定
void setup() {
  // 画面初期設定
  size(800, 600);
  frameRate(60);
  colorMode(HSB, 360, 100, 100, 100);
  noStroke();
}

// 繰り返し描画
void draw() {
  // 背景を描画して前のフレームを消去する
  background(0);

  // 円の直径をsin()で変化させる
  diameter = 400 + sin(frameCount * 0.1) * 200;   ❶
  // 円の色相をsin()で変化させる
  hue = sin(frameCount * 0.1) * 120;              ❶
  // 色を設定する
  fill(hue, 100, 100);
  // 円を描画する
  ellipse(width/2, height/2, diameter, diameter);
}
```

▼図 3.5：色と大きさがなめらかに変化する　【リスト 3.4 の実行結果】

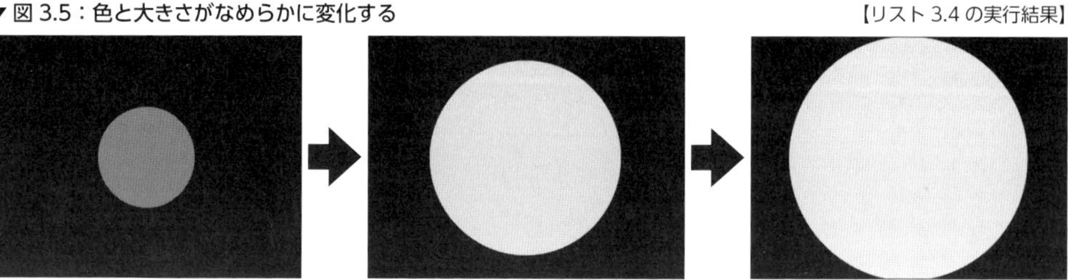

アニメーションの基本②（座標を変換する）

アニメーションで物体を動かす方法として、もう1つ別のアプローチがあります。ここまでは、物体の位置を変更するとき、描画された図形の座標を変化させて動きを表現していました。つまり、切り抜いた紙を図形として机の上で動かしている状態です。これとは別に座標全体を動かしてアニメーションを表現するのです。紙の図形はそのままで、乗っている土台ごと移動／回転させるイメージです。

Processingでは、**表3.1**のように座標の平行移動と座標の回転という2種類の関数があり、座標の情報を一時格納するための命令と、格納した座標を取り出す命令があります。

▼表3.1：座標に関連する命令

関数名	意味
translate(x, y)	座標全体を（x, y）移動する
rotate(angle)	原点（0, 0）を中心に座標全体をangle回転する（※回転角度angleはラジアン）
pushMatrix()	現在の座標の状態をスタックに一時保存する
popMatrix()	スタックに保存されていた状態に座標を復元する

translate()は理解しやすいでしょう。座標全体をそれぞれの座標軸にそって（x, y）だけ移動するという意味です。

rotate()の注意すべき点は2つあります。1つ目は座標回転の中心点が原点（0, 0）になることです。ウィンドウの左上の点を中心に回転します。もう1つは回転する角度の単位です。私たちが日常的に使用している角度は、0°〜360°で表す「度（degree）」という単位ですが、rotate()で使用する角度は0〜2πで角度を表す「ラジアン（radian）」という単位になります。2πが360°なので、90°＝1/4π、180°＝1/2πとなります。

回転

では、**リスト3.5**で確認してみましょう。画面の左上を中心に、四角形が大きく回転する動きになります。❶のrectMode(CENTER)は四角形の描画モードの変更です。CENTERに指定すると四角形を描画する際の基準点が左上から中心点に変更されます。元の左上を基準とした描画に戻すにはrectMode(CORNER)を指定します。

▼ リスト 3.5：rotate による図形の回転 【実行結果は図 3.6】

```
float angle = 0.0; // 回転角度

// 初期設定
void setup() {
  // 画面初期設定
  size(800, 600);
  frameRate(60);
  fill(0, 127, 255);
  noStroke();
}

// 繰り返し描画
void draw() {
  background(0);
  // 原点 (0, 0) を中心に座標全体を回転する
  rotate(angle);
  // 四角形の中心を基準点に300×300の四角形を描く
  rectMode(CENTER); ――――――――――――――――――――――――❶
  rect(400, 300, 300, 300);
  // 角度を更新する
  angle += 0.1;
}
```

▼ 図 3.6：画面の左上を中心に図形が回転する 【リスト 3.5 の実行結果】

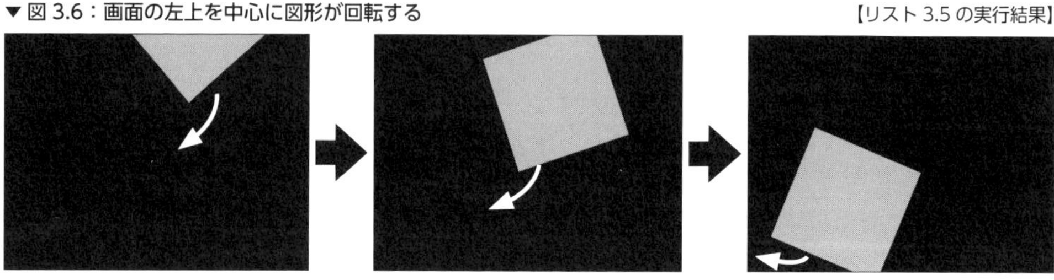

任意の座標で回転

画面の左上ではなく任意の点で座標を回転するにはどうすればよいでしょうか。例えば現在描画している四角形の中心点を軸として回転する場合を考えてみましょう。

ここで座標の移動（translate()）と回転（rotate()）を組み合わせていきます。考え方としては、座標の原点を図形を回転したい軸まで移動します。画面の中心を軸にするには次のようにします。

```
translate(width/2, height/2);
```

移動した中心点を軸に図形を描いて rotate() で回転させます（**リスト 3.6**）。これで、四角形の中心を軸として回転するようになりました。

▼ リスト 3.6：translate による座標移動と rotate による回転　【実行結果は図 3.7】

```
float angle = 0.0; // 回転角度

// 初期設定
void setup() {
  // 画面初期設定
  size(800, 600);
  frameRate(60);
  fill(0, 127, 255);
  noStroke();
}

// 繰り返し描画
void draw() {
  background(0);
  //原点を (width/2, height/2) に移動
  translate(width/2, height/2);
  // 原点 (0, 0) を中心に座標全体を回転する
  rotate(angle);
  // 四角形の中心を基準点に300x300の四角形を描く
  rectMode(CENTER);
  rect(0, 0, 300, 300);
  // 角度を更新する
  angle += 0.1;
}
```

▼ 図 3.7：四角形の中心を軸に回転する　【リスト 3.6 の実行結果】

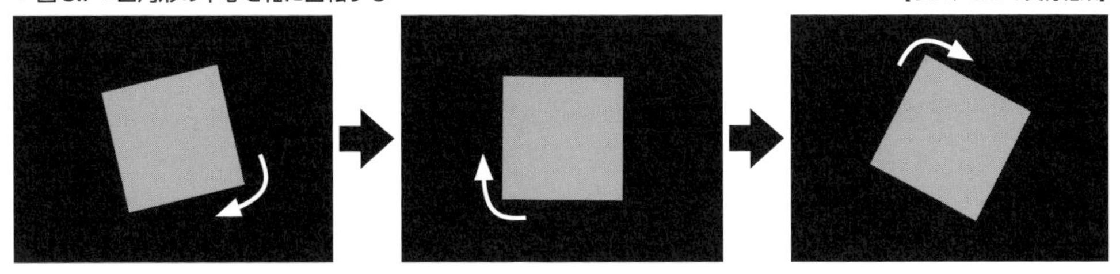

複数の図形を同時に回転（失敗例）

複数の図形を同時に回転させるのに、まずは単純に translate() と rotate() を繰り返して 2 つの四角形を回転してみましょう（**リスト 3.7**）。

すると、予想に反した動きをしてしまいます。1 つ目の四角形はきちんと図形の中心を軸に回転するのですが、2 つ目の四角形は 1 つ目の四角形を中心に大きく回転してしまっています。こ

れは一度変更した座標を元に戻さないと、続く変更が蓄積されてしまうという性質から発生しているエラーです。つまり、1つ目の四角形の移動と回転で変更された座標の状態が、そのまま2つ目の四角形を描画する際の基本座標となってしまっているのです。

▼ リスト 3.7：translate() と rotate() を繰り返す　【実行結果は図 3.8】

```
float angle = 0.0; // 回転角度

// 初期設定
void setup() {
  // 画面初期設定
  size(800, 600);
  frameRate(60);
  fill(0, 127, 255);
  noStroke();
}

// 繰り返し描画
void draw() {
  background(0);

  // 回転1
  translate(width/4, height/4);
  rotate(angle);
  rectMode(CENTER);
  rect(0, 0, 100, 100);

  // 回転2
  translate(width/2, height/2);
  rotate(angle);
  rectMode(CENTER);
  rect(0, 0, 200, 200);

  // 角度を更新する
  angle += 0.1;
}
```

▼ 図 3.8：translate() と rotate() を繰り返す　【リスト 3.7 の実行結果】

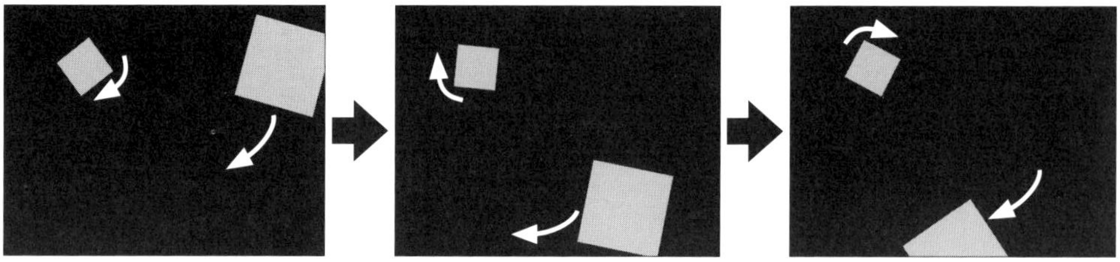

複数の図形を同時に回転

図 3.8 のような失敗例を避けるためには、変更する前の座標の状態を一時保存して、描画が終わったらまた元に戻すという pushMatrix() と popMatrix() の処理が必要です。pushMatrix() と popMatrix() は対になって使用します。

```
pushMatrix(); // 座標を一時保存
// 座標を変更
// 描画
popMatrix();  // 変更した座標を元に戻す
```

それぞれの四角形を描く前後に入れましょう（**リスト 3.8 の❶❷**）。これで 2 つの図形が回転するアニメーションになりました。

▼ リスト 3.8：pushMatrix() で座標を保存し、popMatrix() によって座標を元に戻す　【実行結果は図 3.9】

```
float angle = 0.0; // 回転角度

// 初期設定
void setup() {
  // 画面初期設定
  size(800, 600);
  frameRate(60);
  fill(0, 127, 255);
  noStroke();
}

// 繰り返し描画
void draw() {
  background(0);

  // 回転1
  pushMatrix(); // 座標を保存する ―――――――――――――――――――❶
  translate(width/4, height/4);
  rotate(angle);
  rectMode(CENTER);
  rect(0, 0, 100, 100);
  popMatrix();  // 保存した座標に復元する ――――――――――――――❷

  // 回転2
  pushMatrix(); // 座標を保存する ―――――――――――――――――――❶
  translate(width/2, height/2);
  rotate(angle);
  rectMode(CENTER);
  rect(0, 0, 200, 200);
  popMatrix();  // 保存した座標に復元する ――――――――――――――❷
```

（次ページへ続く）

```
  // 角度を更新する
  angle += 0.1;
}
```

▼ 図 3.9：2 つの図形が回転する 【リスト 3.8 の実行結果】

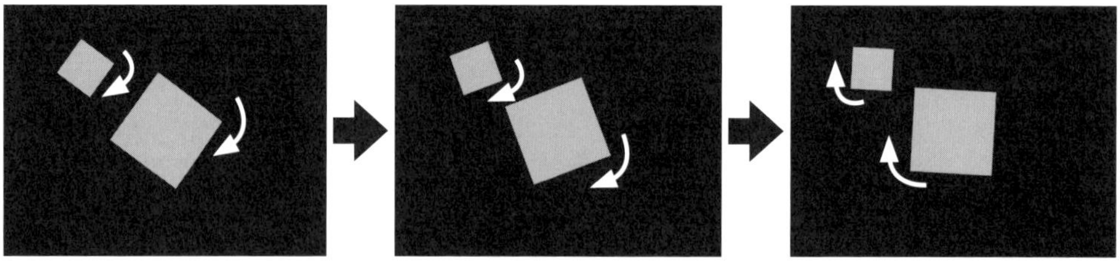

 次のステップへ

ここまでで入門編は、一通り完了しました。Processing の基本操作から、図形の描画、色、アニメーションまで解説してきました。これでようやくクリエイティブな表現のためのスタートラインに到達しました。ここから先は、より自由な表現のための地平が広がっています。

次の Part からは、より実践的なサンプルを「ケーススタディ」として紹介していきます。各サンプルを実際に動作させながら、実践的に創造的に発展させていきましょう。

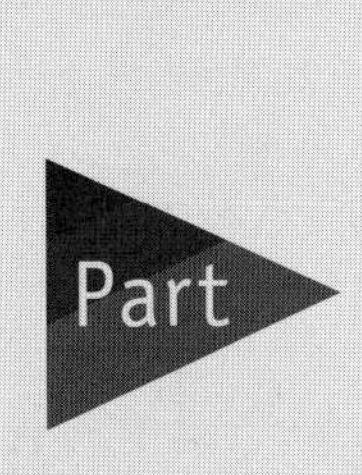

実践編

Part1 では基本的な図形の描画と色、さらに setup()/draw() という構造から生まれる時間構造（＝アニメーション）についてマスターしました。これにより簡単なアニメーションを作成でき、さらには乱数 random() と組み合わせることで、生成的な表現の入口に立つことができました。

しかし、より複雑な表現を目指していくにあたり、もう少しプログラムの構造について、深く理解し、活用していく必要があります。Part2 では、より高度な構造をプログラムに持たせることで、どのような表現ができるのか探っていきます。

第4章 大量の物体を同時に操作

本章からは、完成したスケッチを先に提示します。到達目標をイメージし、個別のコードの意味を紐解きながら順に理解していきましょう。

 完成イメージ：ランダムに広がる大量の点

図 4.1 のサンプルを解説していきます。画面中心に集まっていた小さな円が、小さな虫が逃げていくように徐々に周辺に移動していきます。

実装例（**リスト 4.1**）を見てみましょう。これまでのサンプルから比べると、だいぶ複雑になってきました。少しずつ意味をたどっていくと、それほど難しいことはしていません。

▼リスト 4.1：乱数を使ったアニメーション　【実行結果は図 4.1】

```
int NUM = 10000; // 配列の数
float[] x = new float[NUM]; // X座標
float[] y = new float[NUM]; // Y座標

void setup() {
  size(800, 600, P2D); // 画面設定
  frameRate(60);       // フレームレート60fpsにする
  background(0);       // 背景色設定
  // 配列の数だけ繰り返す
  for (int i = 0; i < NUM; i++) {
    x[i] = width / 2.0;  // X座標を左右の中心にする
    y[i] = height / 2.0; // Y座標を上下の中心にする
  }
}

void draw() {
  stroke(255);    // 点の色
  noFill();       // 塗りつぶしなし
  blendMode(ADD); // 色は加算で混ぜていく
  // 配列の数だけ繰り返し
  for (int i = 0; i < NUM; i++) {
    point(x[i], y[i]); // 点を描画
    x[i] = x[i] + random(-2.0, 2.0); // X座標をランダムに移動
    y[i] = y[i] + random(-2.0, 2.0); // Y座標をランダムに移動
  }
  // 画面をフェードさせる
  blendMode(BLEND);           // 塗りつぶしを線形な混色に
  fill(0, 5);                 // 半透明の黒で塗る
  noStroke();                 // 枠線なし
  rect(0, 0, width, height); // 画面全体を矩形で塗りつぶす
}
```

▼図 4.1：大量の点が別々に動く（P15 参照）　【リスト 4.1 の実行結果】

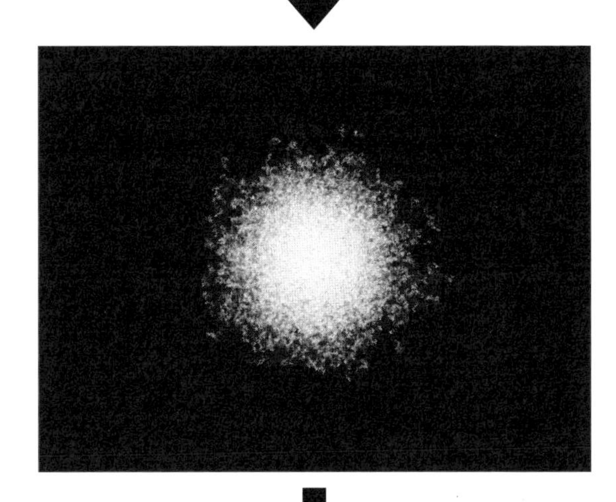

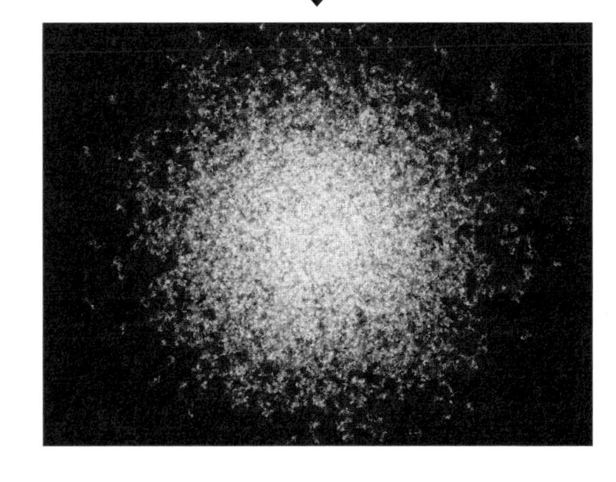

 乱数を使ったアニメーション

Part1 のサンプルでは単体の物体しかアニメーションしませんでした。**図 4.1** で注目すべき点は、大量の点（ここでは 10,000 個）が同時に別々の動きをしていることです。じわじわと虫が拡散していくような動きを生み出しているのは、「乱数」を生成する関数です。第 2 章でも紹介したように Processing では、random() を使用して、簡単に乱数を生成できます。

関数に引数を指定することで、最大値や値の範囲を指定できます。引数を 1 つだけ指定した際には、0 から指定した値までの乱数、引数を 2 つ指定すると 1 つ目の値が最小値、2 つ目の値が最大値となります。**リスト 4.1** では座標を（-2.0, 2.0）の間でランダムに動かしていることがわかります。

```
float randomNum = random(100);    // 0.0～100.0の範囲での乱数を生成
float randomNum = random(40, 80); // 40.0～80.0の範囲での乱数を生成
```

では、**リスト 4.1** の 1 つの点を動かす部分だけを抜き出してみましょう。**リスト 4.2** では、背景色を毎回更新するのではなく、setup() で最初に一度だけ塗りつぶすことで、動きの軌跡を見られるようにしています。

▼ リスト 4.2：乱数を使って 1 つの物体だけアニメーションさせる　【実行結果は図 4.2】

```
float x; // X座標
float y; // Y座標

void setup() {
  size(800, 600);   // 画面設定
  background(0);    // 背景色設定
  frameRate(60);    // フレームレート60fpsにする
  x = width / 2.0;  // X座標を左右の中心にする
  y = height / 2.0; // Y座標を上限の中心にする
}

void draw() {
  stroke(255); // 点りの色
  noFill();    // 塗りつぶしなし
  point(x, y); // 点を描画
  x = x + random(-4, 4); // X座標をランダムに移動
  y = y + random(-4, 4); // Y座標をランダムに移動
}
```

▼図 4.2：乱数を使った点の動きの軌跡　　【リスト 4.2 の実行結果】

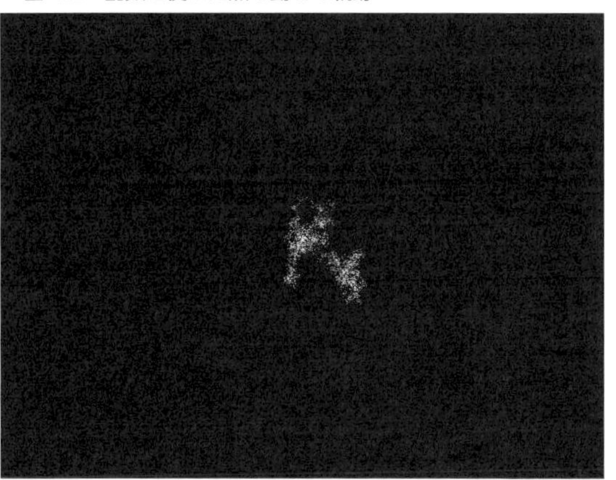

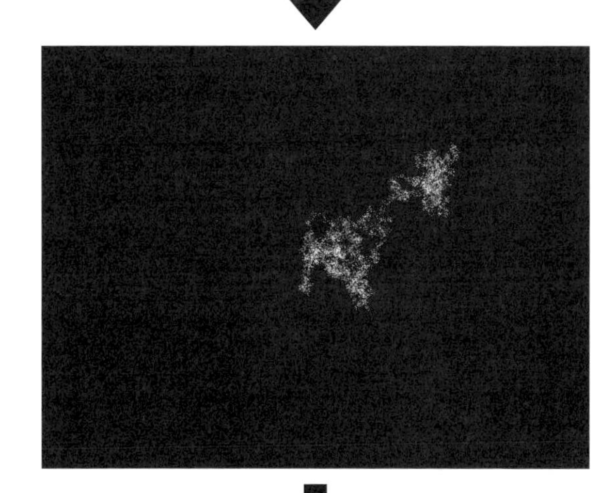

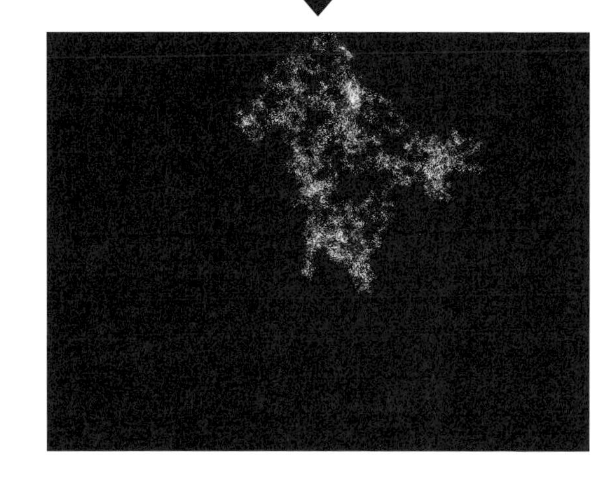

リスト 4.2 では、update() 内で X 座標、Y 座標ともに、-4.0〜4.0 の範囲の乱数を以前の座標に足しています。つまり、毎フレーム、自分の周囲の 4 ピクセルの正方形の範囲内（**図 4.3**）で毎回違う場所に移動していることになります。これを繰り返すことによって複雑な軌跡が生み出されているのです。また、実行するたびに異なるので、毎回違う模様を描き出します。

▼ 図 4.3：-4 から 4 の移動範囲

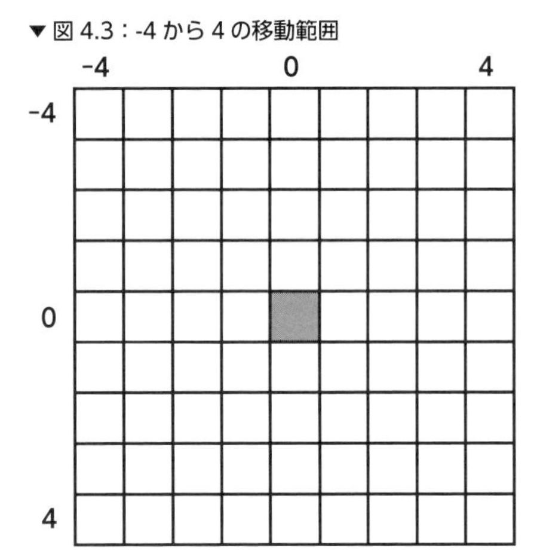

リスト 4.1 は、このようなランダムな動きが基本単位となっていて、画面の中心から一気に 10,000 個の点で動かすことで、画面の中心から拡がる複雑な動きを表現しています。

大量なデータの取り扱い

1 つの物体の動きを生み出すしくみはわかりました。では、どうやって一度に大量の物体を動かしているのでしょうか？ 重要となってくるのが、X 座標と Y 座標の値を保持するしくみです。まず、プログラムの冒頭部分に注目してください。

```
int NUM = 1000;              // 配列の数
float[] x = new float[NUM]; // X座標
float[] y = new float[NUM]; // Y座標
```

これまで出てきた変数の定義方法とはずいぶん違うことがわかります。大きな違いは、大量の値を同時に定義している点です。それぞれの図形の色／大きさ／動きは、すべて別々の値が設定されています。

数値や文字、色などを記憶するために int、float、char、color といった変数を使用してきました。変数は、次のように一度に 1 つの値しか記憶できません。

```
int a;          // この時点ではaに何も格納されていない
a = 10;         // aに10を代入
a = a + 1;      // 10+1の結果11を代入し、新しいaの値となる
println(a);     // 11が出力される
```

a には常に 1 つの値しか記憶されておらず、a に新たな値を代入すると、以前の値は消去されてしまい再度呼び出すことはできません。

変数を使ってアニメーションのパラメータを記憶するとき、1 つの動きには最低でも 1 つの変数が必要となります。数個の図形のアニメーションであれば、1 つずつ変数に格納してもよいですが、これが 100 個、1,000 個、10,000 個と数が増えていった場合には限界があります。

Processing では、たくさんの値を扱うためのしくみがいくつか用意されています。ここでは「配列 (Array)」について取り上げます。

配列 (Array)

まず基本となるのは「配列 (Array)」です (**図 4.4**)。変数を 1 つの値を格納するための「箱」だとすると、配列は多くの値をまとめて格納する「ロッカー」のようなものと考えるとわかりやすいでしょう。

▼図 4.4：配列のイメージ

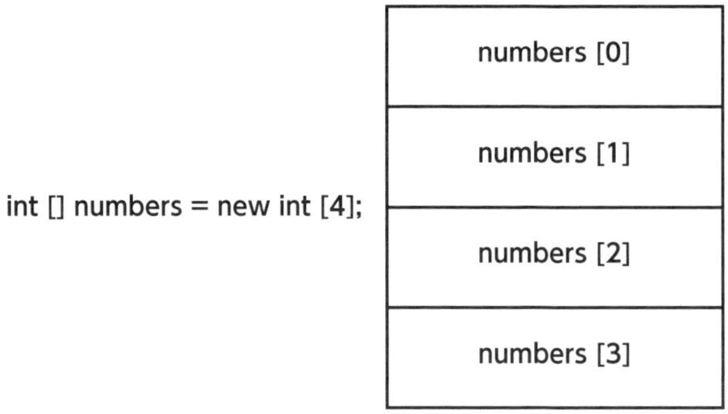

配列はコンピュータのメモリの許すかぎり、いくらでも増やせます。ただし、配列の個々の箱はすべて同じ型 (int、float、char など) でなくてはなりません。

配列を使用するには、まずはじめに配列の数 (つまりロッカーの箱の数) と使用する型を指定して宣言します。例えば、int 型の配列を 4 個格納できる配列を生成するには、次の宣言をします。

```
int[] numbers = new int[4];
```

最初から格納する初期値が決まっている場合は、初期値を指定して生成することもできます。

```
int[] numbers = { 4, 1, 2, 6 };
```

配列を見分ける目印は、大括弧（[]）です。コードの中で [] を見付けたら、配列に関係していると考えるとよいでしょう。この配列の [] は、ロッカーの番号のような役割を果たします。例えば、配列の箱のひとつひとつに個別に値を代入するには、次のような命令を使用します。

```
int[] numbers = new int[4];
numbers[0] = 4;
numbers[1] = 1;
numbers[2] = 2;
numbers[3] = 6;
```

配列のロッカーは、小さな値から 1 つずつ順番に使用しなくてはなりません。また、0 からはじまっていることにも注意してください。4 つの配列を生成したら、0、1、2、3 の 4 つの番号が割り振られるわけです。

配列は、第 2 章の「反復」（P44）で使用した for 文と組み合わせることで、より効果的に使用できます。for 文で使用されているカウンタ変数をロッカーの番号に適用することで、一気に大量の値を格納できるのです。

```
int[] numbers = new int[100];
for(int i = 0; i < 100; i++) {
  numbers[i] = random(10);
}
```

完成イメージの解析

それでは完成イメージ（**リスト 4.1**）を見ていきます。

宣言部

まず冒頭の 3 行です。

```
int NUM = 10000;            // 配列の数
float[] x = new float[NUM]; // X座標
float[] y = new float[NUM]; // Y座標
```

最初に配列の数を int 型の変数「NUM」で設定し、指定した数の配列（float 型）を 2 つ（「x[]」と「y[]」）用意しています。これは、それぞれの円の中心位置を記録するためのものです。x、y にはそれぞれ NUM 個（＝ 10,000 個）の値を格納できるように用意しています。

setup()

setup() で用意した NUM 個の配列に、for 文ですべての値を初期化しています。X 座標を左右の中心に、Y 座標を上下の中心に、つまり画面の中心に座標を設定しています。

```
for (int i = 0; i < NUM; i++) {
  x[i] = width / 2.0;  // X座標を左右の中心にする
  y[i] = height / 2.0; // Y座標を上限の中心にする
}
```

draw()

NUM 個の座標を少しずつ変化させながら円を描画しています。

```
for (int i = 0; i < NUM; i++) {
  ellipse(x[i], y[i], 10, 10); // 円を描画する
  x[i] = x[i] + random(-4, 4); // X座標をランダムに移動する
  y[i] = y[i] + random(-4, 4); // Y座標をランダムに移動する
}
```

配列と for 文を組み合わせる方法は、今後も頻繁に登場します。for 文のカウンタ変数（i）を配列の番号に活用することで、とてもスマートに大量のデータを処理できます。

配列を活用して大量の物体を動かす

では、大量の動きを作成してみましょう（**リスト 4.3**）。完成イメージにだいぶ近づいてきました。ここから先は仕上げです。画面に効果を加えてより繊細な表現へと進化させていきましょう。

▼リスト 4.3：Array と for 文の組み合わせ　　【実行結果は図 4.5】

```
int NUM = 10000; // 配列の数
float[] x = new float[NUM]; // X座標
float[] y = new float[NUM]; // Y座標

void setup() {
  size(800, 600); // 画面設定
  frameRate(60);  // フレームレート60fpsに
  // 配列の数だけ繰り返す
  for (int i = 0; i < NUM; i++) {
    x[i] = width / 2.0;  // X座標を左右の中心に
    y[i] = height / 2.0; // Y座標を上限の中心に
  }
}
```

（次ページへ続く）

```
void draw() {
  background(0); // 背景色
  stroke(255);   // 点の色
  noFill();      // 塗りつぶしなし
  // 配列の数だけ繰り返し
  for (int i = 0; i < NUM; i++) {
    point(x[i], y[i]); // 点を描画する
    x[i] = x[i] + random(-4.0, 4.0); // X座標をランダムに移動する
    y[i] = y[i] + random(-4.0, 4.0); // Y座標をランダムに移動する
  }
}
```

▼図 4.5：大量の点が浮かび上がって消える

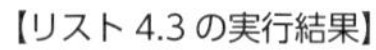
【リスト 4.3 の実行結果】

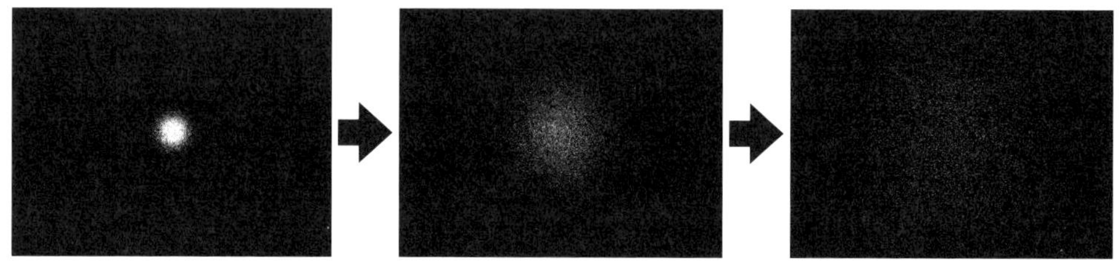

画面効果

図 4.5 と完成イメージ（**図 4.1**）を見比べてみると基本となる動きは同一なのですが、微妙な表現の違いに気付くのではないでしょうか。**図 4.5** では細かな点がちらちらと動いているのに対して、完成イメージ（**図 4.1**）は動きの軌跡が残像のように残って、さらにそれが光の重ね合わせのように加算されていくことで、微細な美しさを生み出しています。これらの効果は、Processing の描画モードとブレンドモードを活用しています。

描画モード

Processing では、画面に図形を表示する際に**表 4.1** の描画モードを選択できます。

▼表 4.1：描画モード

モード	特徴
デフォルト（何も指定しない）	描画は遅いが、最も正確に 2 次元の図形を描画する
P2D	OpenGL を使用。高速な 2 次元の描画に適している
P3D	OpenGL を使用。高速な 3 次元の描画に適している
PDF	PDF で出力する

実行イメージ（**図 4.1**）では、高速に2次元の描写をしたいので、デフォルトではなく P2D モードを使用します。モードの指定は、size() の3番目の引数で指定します。

```
size(幅, 高さ, モード);
```

size() を次のように変更します。

```
size(800, 600, P2D);
```

ブレンドモード

また、P2D モードを使用することで色を混ぜる際のブレンド（混色）モードを blendMode() で変更できます。**表 4.2** に挙げるブレンドモードが用意されています。

▼表 4.2：ブレンドモードの選択（P2D）

モード	ブレンド方法
BLEND	線型に色を補完する。何も指定しない場合は BLEND が使用される
ADD	色を加算していく。混色するほど白に近づいていく
SUBTRACT	色を減算していく。混色するほど黒に近づいていく
DARKEST	最も暗い（明度の低い）色になる
LIGHTEST	最も明るい（明度の高い）色になる
DIFFERENCE	下のレイヤのイメージとの差分
EXCLUSION	DIFFERENCE に近いが、より極端な効果となる
MULTIPLY	色を乗算する。混色するとずら必ず暗くなっていく
SCREEN	MULTIPLY の逆。混色した色を反転する
REPLACE	すべてのピクセルが別の色に置換され、透明度は加味されない

ここでは色を加算する処理をします。つまり、点を描く際のブレンドモードに「ADD」を用います。

```
blendMode(ADD);
```

描画モードとブレンドモードを反映させてみましょう（**リスト 4.4**）。

▼ リスト 4.4：描画モードの追加（ADD） 【実行結果は図 4.6】

```
int NUM = 10000; // 配列の数
float[] x = new float[NUM]; // X座標
float[] y = new float[NUM]; // Y座標

void setup() {
  size(800, 600, P2D); // 描画モードをP2Dにする
  frameRate(60);       // フレームレート60fpsにする
  background(0);       // 背景色設定（最初に1度だけ塗る）
  // 配列の数だけ繰り返す
  for (int i = 0; i < NUM; i++) {
    x[i] = width / 2.0;  // X座標を左右の中心にする
    y[i] = height / 2.0; // Y座標を上限の中心にする
  }
}

void draw() {
  stroke(255);    // 点の色
  noFill();       // 塗りつぶしなし
  blendMode(ADD); // 色を加算していく
  // 配列の数だけ繰り返し
  for (int i = 0; i < NUM; i++) {
    point(x[i], y[i]); // 点を描画
    x[i] = x[i] + random(-4.0, 4.0); // X座標をランダムに移動する
    y[i] = y[i] + random(-4.0, 4.0); // Y座標をランダムに移動する
  }
}
```

background(0) を setup() に移動した点に注意してください。これによりフレームごとに画像を消すことなく軌跡が残るようになりました。ただし、このままではどんどん色が重なっていき画面が白く発散してしまい、画面全体が白くなってしまいます。軌跡は残しつつも徐々に画面全体は暗いトーンにフェードアウトさせるにはどうすればよいでしょうか。

▼図 4.6：大量の点が浮かび上がる　【リスト 4.4 の実行結果】

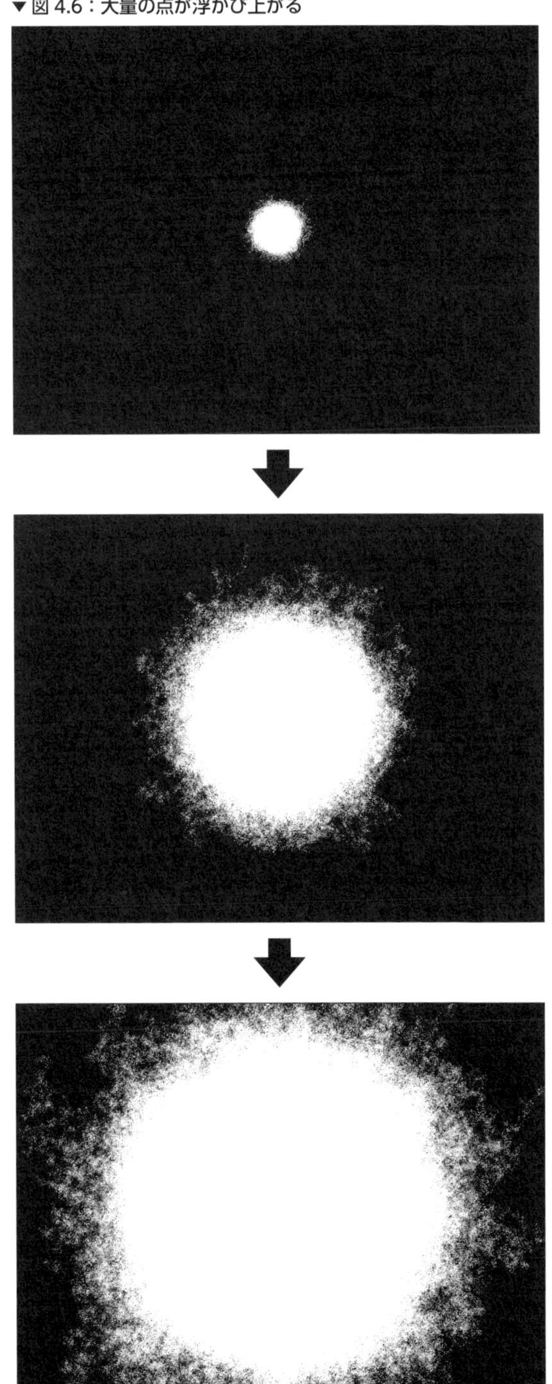

一番シンプルにフェードアウトを実現するには、毎フレーム、ごく薄い半透明の黒に塗った矩形で画面を塗りつぶしていくことで、黒にフェードさせていく方法です。黒いセロハンを重ねていくようなイメージです。ただし黒いセロハンの混色は、加算（ADD）ではなく、ブレンド（BLEND）に戻してから塗る必要があります。

```
blendMode(BLEND); // 塗りつぶしを線形な混色に
fill(0, 5);       // 半透明の黒で塗る
noStroke();       // 枠線なし
rect(0, 0, width, height); // 画面全体を矩形で塗りつぶす
```

この処理を大量の点を描いたfor文のあとに追加すると、完成イメージのプログラム（**リスト4.1**）になります。

 応用例①：ランダムな軌跡によるテクスチャ

では、完成したコードを改造して、バリエーションを作ってみましょう。

まず最初に、点の始点の位置を変更してみましょう。**リスト4.1**では画面の中心からすべての点が動き始めました。これを変更して、画面内のランダムな位置に点を配置してランダムな運動をさせてみます（**リスト4.5**）。すると、ランダムな動きが複雑なテクスチャ（質感）を生み出します。まったく規則性のない動きから、雲や岩石など自然の形態を連想させるような模様が生み出されるのは、とても興味深い現象です。

▼ リスト4.5：X座標とY座標をランダムに配置する　　　　【実行結果は図4.7】

```
int NUM = 10000; // 配列の数
float[] x = new float[NUM]; // X座標
float[] y = new float[NUM]; // Y座標

void setup() {
  size(800, 600, P2D); // 画面設定
  frameRate(60);       // フレームレート60fpsにする
  background(0);       // 背景色設定
  // 配列の数だけ繰り返す
  for (int i = 0; i < NUM; i++) {
    x[i] = random(width);  // X座標を左右の中心にする
    y[i] = random(height); // Y座標を上限の中心にする
  }
}

void draw() {
  blendMode(ADD); // 色は加算で混ぜていく
  stroke(63);     // 塗りつぶしの色
  noFill();       // 枠線なし
  // 配列の数だけ繰り返し
```

```
  for (int i = 0; i < NUM; i++) {
    point(x[i], y[i]); // 点を描画
    x[i] = x[i] + random(-1.0, 1.0); // X座標をランダムに移動する
    y[i] = y[i] + random(-1.0, 1.0); // Y座標をランダムに移動する
  }
  // 画面をフェードさせる
  blendMode(BLEND);
  noStroke();
  fill(0, 3);
  rect(0, 0, width, height);
}
```

▼図 4.7：複雑なテクスチャ表現　【リスト 4.5 の実行結果】

応用例②：ランダムのデザイン

応用例①では、毎フレームの移動を、X 座標、Y 座標ともに -1.0～1.0 の範囲で変化させていました。では、**リスト 4.6** のように乱数の変動範囲を少しだけ変化させたらどうなるでしょうか？

今度は、ランダムに動きつつも、全体として一定の方向へと徐々に移動するようになります。乱数の偏りが大きな動きを生み出しているのです。このように乱数を使用しつつも範囲を指定することで、さまざまな表現が可能です。個々の細かな動きは偶然にまかせつつ、大まかな傾向をデザインしていく方法は、コンピュータの高速な演算があって初めて可能となった、とても刺激的で可能性に満ちた世界です。

▼リスト 4.6：乱数の変動範囲を変える　【実行結果は図 4.8】

```
int NUM = 10000;             // 配列の数
float[] x = new float[NUM]; // X座標
float[] y = new float[NUM]; // Y座標

void setup() {
  size(800, 600, P2D); // 画面設定
  frameRate(60);       // フレームレート60fpsにする
  background(0);       // 背景色設定
  // 配列の数だけ繰り返す
  for (int i = 0; i < NUM; i++) {
    x[i] = random(width);  // X座標を左右の中心にする
    y[i] = random(height); // Y座標を上限の中心にする
```

（次ページへ続く）

```
  }
}

void draw() {
  blendMode(ADD); // 色は加算で混ぜていく
  stroke(255);    // 塗りつぶしの色
  noFill();       // 枠線なし
  // 配列の数だけ繰り返し
  for (int i = 0; i < NUM; i++) {
    point(x[i], y[i]); // 点を描画
    x[i] = x[i] + random(-1.0, 1.5); // X座標をランダムに移動する
    y[i] = y[i] + random(-0.5, 1.2); // Y座標をランダムに移動する
    // 画面の端からはみ出さないようにする
    // 左端
    if (x[i] < 0) {
      x[i] = width;
    }
    // 右端
    if (x[i] > width) {
      x[i] = 0;
    }
    // 上端
    if (y[i] < 0) {
      y[i] = height;
    }
    // 下端
    if (y[i] > height) {
      y[i] = 0;
    }
  }
  // 画面をフェードさせる
  blendMode(BLEND);
  noStroke();
  fill(0, 11);
  rect(0, 0, width, height);
}
```

▼図 4.8：一定の方向に点が移動する　【リスト 4.6 の実行結果】

第5章 運動の構造的な記述

本章では、乱数を使用するのではなく、より厳密かつ明快に運動を記述する方法について考えていきます。さらに、プログラム全体の記述の方法を見直し、拡張や再利用の容易な、より構造化された記述方法について解説します。

完成イメージ：ランダムに動くさまざまな円

まずは最終的な完成イメージ（**図5.1**）を見てください。

▼図5.1：大量の円の描画（P11参照）　【リスト5.1の実行結果】

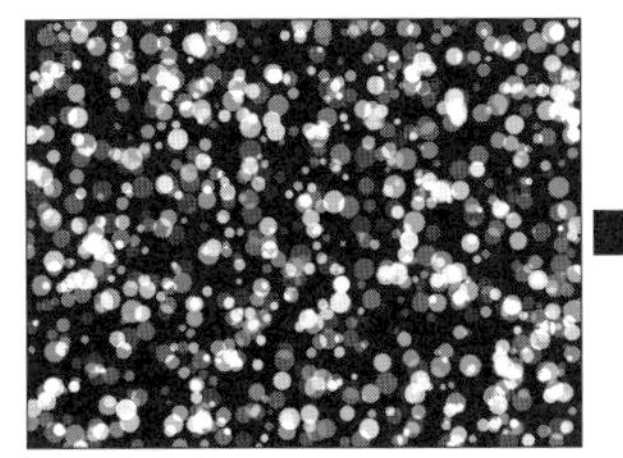
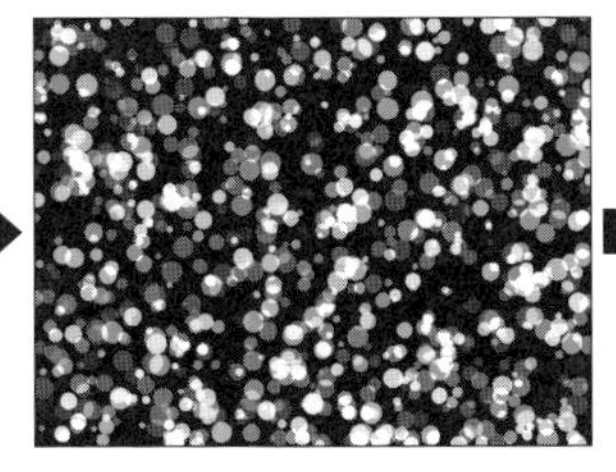
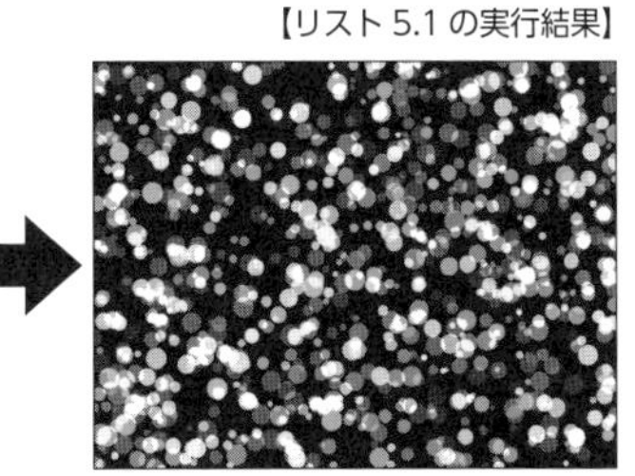

リスト5.1を実行すると、大量の円がさまざまな方向と速度で直線運動をするアニメーションが表示されます。円の大きさや色は、それぞれ異なります。またよく観察すると、円は画面の端に到達するとバウンドして画面からはみ出て消えないよう工夫されています。

リスト5.1では全体の構造が大きく変化しています。これまで使用してきた、setup()とdraw()に加えて、「class Particle {...}」という大きなブロックが加えられています。また、コードの各所に、「PVector」という新たな型（厳密に言うとクラス、詳細は後述）が加わっています。

これらが何を意味しているのか、順番に紐解いていきましょう。

▼リスト5.1：大量の円を描く　【実行結果は図5.1】

```
int NUM = 1000; // パーティクルの数
Particle[] myParticle = new Particle[NUM]; // Particleクラスの配列

void setup() {
  size(800, 600, P2D); // 800×600ピクセルの画面を生成する
  frameRate(60);       // フレームレート
  blendMode(ADD);      // 色は加算合成する
  noStroke();          // 枠線はなし
```

（次ページへ続く）

```
  // 配列の数だけ繰り返し
  for (int i = 0; i < NUM; i++) {
    // Particleオブジェクトを生成して配列に格納する
    // 直径を乱数で指定する（最小8、最大32ピクセル）
    myParticle[i] = new Particle(random(8, 32));
  }
}

void draw() {
  background(0); // 背景を描画する
  // 配列の数だけ繰り返し
  for (int i = 0; i < NUM; i++) {
    // Particleクラスのdraw()メソッドを実行
    myParticle[i].draw();
  }
}

// Particleクラス
class Particle {
  color col;
  float diameter;
  PVector location;
  PVector velocity;

  Particle(float _diameter) {
    // 大きさの初期設定
    diameter = _diameter;
    // 位置ベクトルの初期設定
    location = new PVector(random(0, width), random(0, height));
    // 速度ベクトルの初期設定
    velocity = new PVector(random(-4, 4), random(-4, 4));
    // 色の初期設定
    col = color(random(255), random(255), random(255));
  }

  void draw() {
    fill(col); // 色を指定する
    // 指定した位置に円を描画する
    ellipse(location.x, location.y, diameter, diameter);
    // 位置ベクトルに速度ベクトルを加算、次の位置になる
    location.add(velocity);
    // もし画面の左端、または右端に到達したら
    if ((location.x < 0) || (location.x > width)) {
      velocity.x = velocity.x * -1; // X方向のスピードを反転する
    }
    // もし画面の下端、または上端に到達したら
    if ((location.y < 0) || (location.y > height)) {
      velocity.y = velocity.y * -1; // Y方向のスピードを反転する
    }
  }
}
```

運動を表現するベクトル

まず、1つの物体に絞って動きを見ていきましょう。運動に関係する部分のみを抜き出して、これまでの書式にしたがって記述すると**リスト5.2**のようなプログラムになります。❶のPVectorとはProcessingでベクトルを扱うためのしくみです。PVectorの使用法について理解するには、まず「ベクトル」という概念についてしっかりと把握する必要があります。

▼リスト5.2：PVectorを使用した運動

```
PVector location; // 位置ベクトル  ❶
PVector velocity; // 速度ベクトル

void setup() {
  size(800, 600, P2D); // 800×600ピクセルの画面を生成
  frameRate(60); // フレームレート
  noStroke();    // 枠線はなし
  // 位置ベクトルの初期設定
  location = new PVector(random(width), random(height));
  // 速度ベクトルの初期設定
  velocity = new PVector(random(-4, 4), random(-4, 4));
}

void draw() {
  background(0); // 背景を描画する
  fill(255);     // 色を指定する
  // 指定した位置に円を描画する
  ellipse(location.x, location.y, 20, 20);

  // 位置ベクトルに速度のベクトルを加算する
  // 次のフレームの位置になる
  location.add(velocity);

  // 画面の端でバウンドする
  // もし画面の左端、または右端に到達したら
  if (location.x < 0 || location.x > width) {
    // X方向のスピードを反転（バウンド）させる
    velocity.x = velocity.x * -1;
  }
  // もし画面の下端、または上端に到達したら
  if (location.y < 0 || location.y > height) {
    // Y方向のスピードを反転（バウンド）させる
    velocity.y = velocity.y * -1;
  }
}
```

ベクトルとは

ベクトルとは、一言で説明するなら「大きさと向きを持った量」です。ベクトルを理解するには、**図 5.2** のような矢印をイメージするとよいでしょう。

▼図 5.2：ベクトル

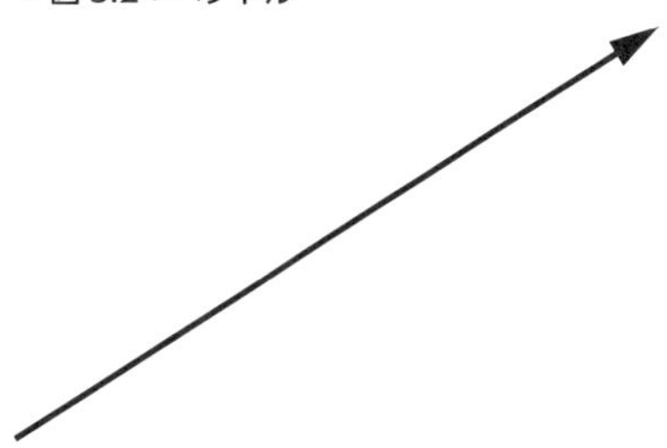

ベクトルに対して、向きを持たない、大きさのみを持つ量を「スカラー」と呼びます。では、日常でどのようなものがベクトルなのか、またどのようなものがスカラーなのか簡単に例示してみましょう。

- スカラー：重さ（質量）、距離、エネルギー、時間
- ベクトル：位置、速度、加速度、力、運動量

まぎらわしい感じもしますが、これらの違いを区別するポイントは、矢印として表現できるか否かです。例えば、「510km」という距離だけを考えると、これは大きさのみを持ったスカラーです。ところが、「東京と大阪間の距離 510km」というとベクトルになります。なぜなら、東京と大阪という位置を結ぶ、向きと大きさを持った矢印となるからです。

速度がベクトルという表現も、理解しにくいかもしれません。単純にスピードが「速い」「遅い」という場合は、量、つまりスカラーです。しかし、速度は例えば「時速 100km」のように、ある特定の時間内に移動する距離として表現されます。つまり、位置 A から位置 B まで移動する時間という単位で、これは向きと大きさを持ったベクトルとなるのです。

ベクトルの計算

ベクトルは、スカラーと同様に、足し算や引き算ができます。図にすると理解が容易です。

ベクトルの足し算

1 つ目のベクトルの終端に、もう 1 つのベクトルをつなぎます。最初のベクトルの始点と最後のベクトルの終点を結んだベクトルが、足し算の結果となります（**図 5.3**）。

▼図 5.3：ベクトルの足し算

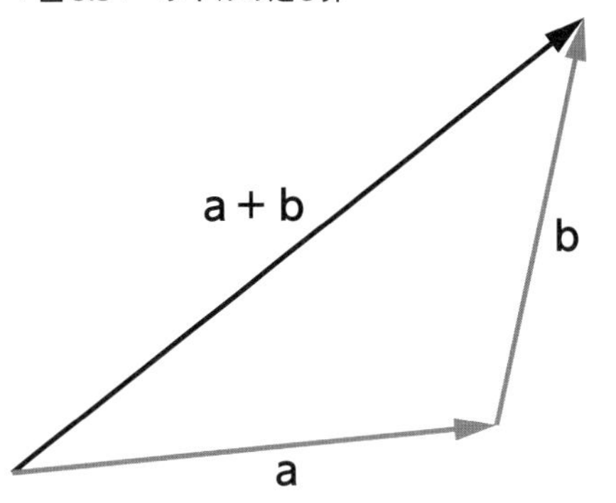

ベクトルの引き算

ベクトルの減算は、同一の点から 2 つのベクトルを描きます。1 つ目のベクトルの終点と、2 つ目のベクトルの終点を結んだベクトルが引き算の結果です（**図 5.4**）。

▼図 5.4：ベクトルの引き算

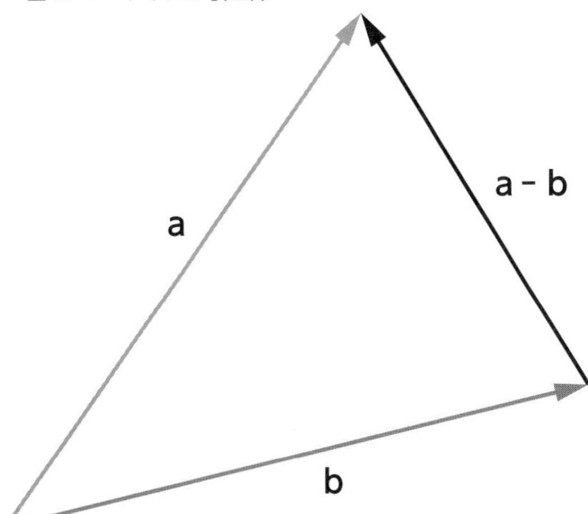

位置ベクトルと速度ベクトル

これまで、平面上での物体の位置を表現する際に、X 座標と Y 座標を別々の値として扱ってきました。しかし、ベクトルを使用すると X 座標と Y 座標の 2 つの値を 1 つのベクトルとしてまとめられます。なぜなら、平面での位置は、原点（0, 0）の点から自分自身の座標（x, y）へのベクトルとして表現できるからです（**図 5.5**）。

▼図 5.5：ベクトルによる物体の位置の表現

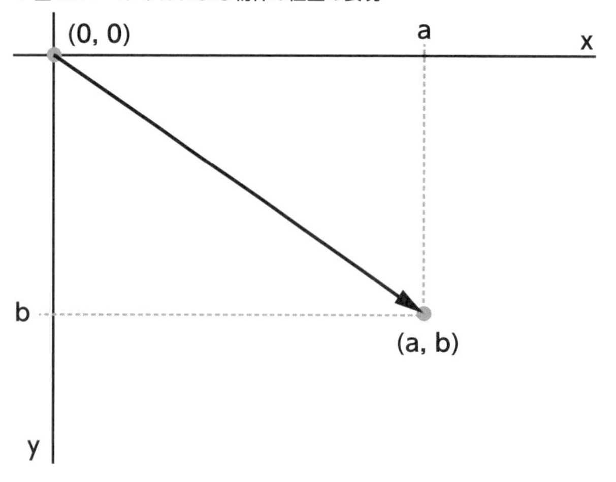

また、現在は 2 次元の座標しか扱っていませんが、今後 3 次元の座標を扱う際にも、3 次元空間上の位置を 1 つのベクトルで表現できます。

Processing でのアニメーションもベクトルで表現できます。画面上でのアニメーションは、現在のフレームと次のフレームとの差分の繰り返しによって生まれます。つまり、1 フレームという時間の区切りでの位置ベクトルの変化がアニメーションの最小単位となります。位置ベクトルの変化も大きさと向きを持ったベクトルです。これを速度ベクトルと言います（**図 5.6**）。

▼図 5.6：速度ベクトル

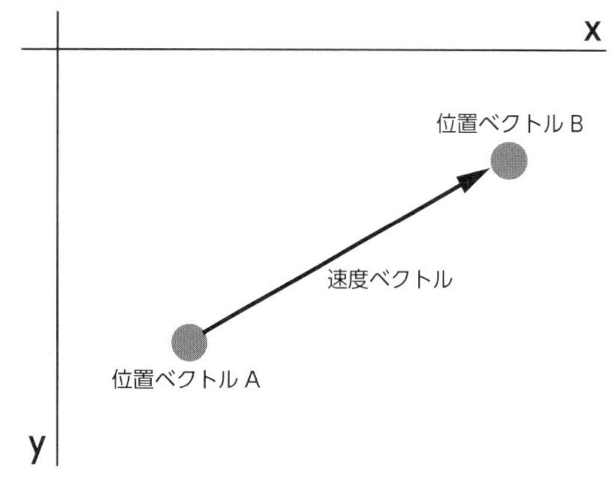

Processingでのベクトルの取り扱い

Processingでは、ベクトルを扱うための「PVector」というクラスが用意されています（クラスの詳細は後述します）。現時点では、floatやintのような型が、より高度になったものととらえてください。

ベクトルは次のようにして2つの値を同時に代入できます。

```
PVector vec;               // PVectorの宣言
vec = new PVector(20, 40); // (20, 40)を代入
```

Processingでは、1つ目の値をX座標、2つ目をY座標ととらえます。XとYそれぞれの値は、次のようにして個別に取得できます。

```
float x = vec.x;
float y = vec.y;
```

また、PVector同士の演算（加算、減算）にも対応しています。

```
// ベクトルの加算：vecA.add(vecB)
PVector vecA = new PVector(20, 40);
PVector vecB = new PVector(10, 30);
vecA.add(vecB);
println(vecA.x + ", " + vecA.y);  // 30, 70が出力される
```

```
// ベクトルの減算：vecA.sub(vecB)
PVector vecA = new PVector(20, 40);
PVector vecB = new PVector(10, 30);
vecA.sub(vecB);
println(vecA.x + ", " + vecA.y);  // 10, 10が出力される
```

PVectorで運動を表現

では、ここまでの内容を踏まえて、**リスト5.2**を見てみましょう。

宣言部

まず2つのPVector「location」と「velocity」が宣言されています。それぞれ、位置ベクトルと速度ベクトルを格納します。locationには現在の物体の位置の座標が、velocityには1フレームあたりの速度（位置の変化量）を保持しています。

```
PVector location; // 位置ベクトル
PVector velocity; // 速度ベクトル
```

setup()

setup() の中で画面の初期設定をしたあとに、位置ベクトルと速度ベクトルを初期化しています。位置は画面上のランダムな場所、速度は X 座標／Y 座標ともに -4.0〜4.0 の範囲でランダムな値を生成しています。

```
// 位置のベクトルの初期設定
location = new PVector(random(width), random(height));
// 速度のベクトルの初期設定
velocity = new PVector(random(-4.0, 4.0), random(-4.0, 4.0));
```

draw()

背景色と塗りつぶしの色を設定し、位置ベクトルから座標を取り出して円を描画しています。

```
background(0); // 背景を描画する
fill(255);     // 色を指定する
// 指定した位置に円を描画する
ellipse(location.x, location.y, 20, 20);
```

次の 1 行が**リスト 5.2** での運動の表現の核になる部分です。

```
// 位置のベクトルに速度のベクトルを加算する
// 次のフレームの位置になる
location.add(velocity);
```

位置ベクトルに、速度ベクトルを加算しています。これは、何を意味しているのでしょうか？

位置ベクトルは物体の位置、速度ベクトルは 1 フレームあたりの位置の変化を表しています。draw() の中でまず物体を描いたら、次のフレームでの位置を計算します。ベクトルを用いることで次の計算が成り立ちます。

次のフレームの位置ベクトル = 現在のフレームの位置ベクトル + 速度ベクトル

図 5.7 をイメージするとわかりやすいでしょう。現在の位置ベクトルを「a」として、速度ベクトルを「v」とします。すると、次のフレームの位置ベクトル「b」は、位置ベクトル「a」と速度ベクトル「v」を加算した結果となっています。

▼図 5.7：次のフレームの位置ベクトル

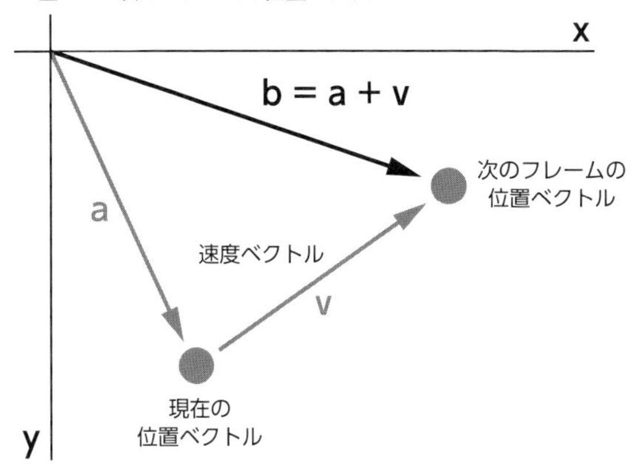

次のブロックは、パーティクルが画面の端に来たときにバウンドする動きを表現しています。

```
// 画面の端でバウンドする
// もし画面の左端、または右端に到達したら
if (location.x < 0 || location.x > width) {
  // X方向のスピードを反転（バウンド）させる
  velocity.x = velocity.x * -1;
}
// もし画面の下端、または上端に到達したら
if (location.y < 0 || location.y > height) {
  // Y方向のスピードを反転（バウンド）させる
  velocity.y = velocity.y * -1;
}
```

if 文の条件式の「||」は OR（または）を意味します。つまり次のようになります。

```
// 左の端に到達したら
if (location.x < 0) {
  // X方向のスピードを反転（バウンド）させる
}
// 右の端に到達したら
if (location.x > width) {
  // X方向のスピードを反転（バウンド）させる
}
// 上の端に到達したら
if (location.y < 0) {
  // Y方向のスピードを反転（バウンド）させる
}
// 下の端に到達したら
if (location.y > height) {
  // Y方向のスピードを反転（バウンド）させる
```

（次ページへ続く）

```
}
```

そして、if 文の中では、次の計算をしています。

```
velocity.x = velocity.x * -1;
velocity.y = velocity.y * -1;
```

左右の端に到達した際には、速度ベクトルの X 成分に -1 を掛け算しています。また、上下の端に到達した際には、Y 成分に -1 を掛け算しています。これは、壁に当った際に速度はそのままで壁に対して反対の向きに変更されることを意味します (**図 5.8**)。つまり壁に当たってバウンドする動きをシミュレーションしています。

▼図 5.8：バウンドの動き

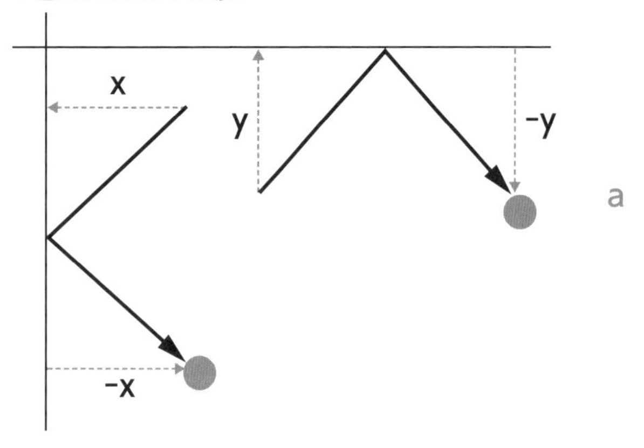

ここまでで単体での円の動きは理解できました。続いてプログラム全体の構造について考えていきましょう。

プログラム構造の整理

まず、**リスト 5.1** (P77) の全体の構造について、骨組となる部分のみを抜き出してみましょう。

```
void setup() {
  ...（中略）...
}

void draw() {
  ...（中略）...
}
```

```
class Particle {
  ...（中略）...
}
```

setup() と draw() は Processing の初期化と描画のための構造です。さらに class Particle{...} というブロックが追加されています。注意深く見ると、Particle クラスの中身は前章で解説した円の動きが実装されていることがわかります。このクラスのしくみを理解するには、まず「オブジェクト指向プログラミング（OOP）」という概念を理解しなくてはなりません。

オブジェクト指向プログラミングとは

オブジェクト指向プログラミングとは、プログラミングの技法の1つで、現在主流となっているほとんどのプログラミング言語における構造の根幹としてサポートされています。C++、Objective-C、C#、Java、Ruby、Python、JavaScript、Swift など、そのほかにも数多くのオブジェクト指向プログラミング言語が用いられています。

Processing は、Java を拡張したものです。Processing もまた Java のオブジェクト指向プログラミングの機能を引き継いでいます。

オブジェクト指向プログラミングは、「オブジェクト（object）」と呼ばれる独立した小さなプログラムの集まりとして全体が構成されています。それぞれのオブジェクトは独立していて、互いにメッセージを送り合います。それぞれ役割を持ったオブジェクト同士が連携することで、1つの大きな機能を実現しているのです（**図 5.9**）。

▼図 5.9：オブジェクト同士の連携

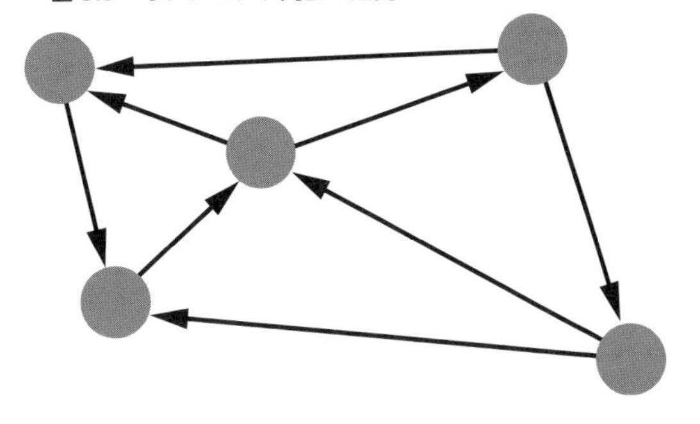

オブジェクト単体に注目してみましょう。オブジェクトは、「データ」と「メソッド」という2つの役割に整理されます（**図 5.10**）。

- データ
  オブジェクト内の変数。オブジェクト内に保持される値。プログラミング言語によって「データメンバ」「フィールド」「メンバ変数」などと呼ばれる
- メソッド
  オブジェクト内の関数。オブジェクトの動作。メッセージに対する処理方法を記述したもの。オブジェクト内のサブルーチン。プログラミング言語によっては「メンバ関数」とも呼ばれる

▼図5.10：データとメソッド

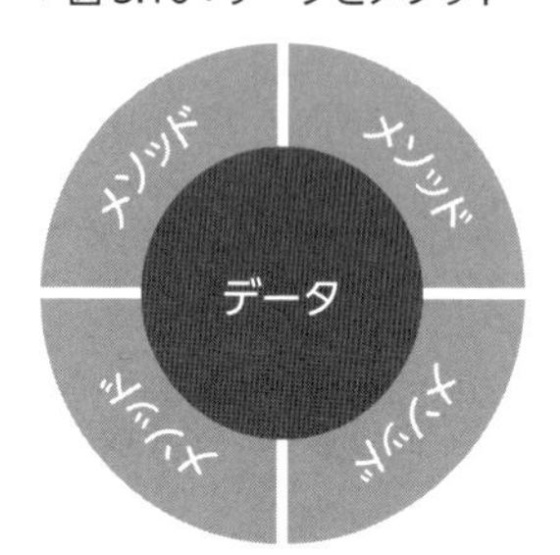

プログラム内でオブジェクトを使用するには、まずクラスを記述します。クラスはオブジェクトの設計図のようなものと考えられます。クラス内に必要なデータとメソッドを記述して、オブジェクトが特定のメッセージを受けとった際の振る舞いや状態の変化を設計していきます。

完成したクラスから、オブジェクトを生成します。クラスからオブジェクトを生成する処理のことを「インスタンス化」と呼びます（**図5.11**）。

▼図5.11：インスタンス化

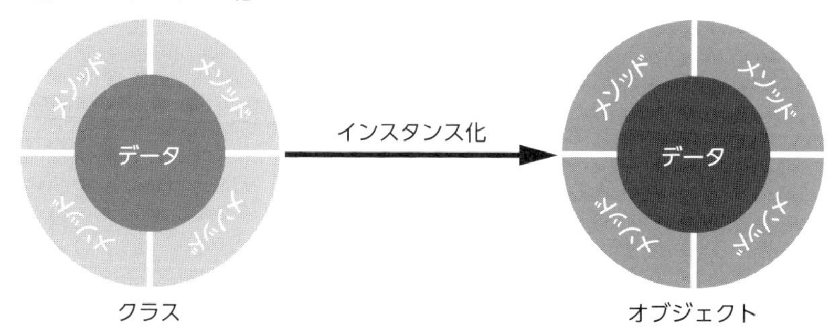

Processing でオブジェクト指向プログラミング

では、まず簡単な例から Processing におけるオブジェクト指向プログラミングを試してみましょう。例えば、円を描く簡単なプログラム（**リスト 5.3**）について考えます。

▼リスト 5.3：円を描く

```
float diameter;
PVector location;

void setup(){
  size(800, 600);
  diameter = 400;
  location = new PVector(width/2, height/2);
}

void draw(){
  ellipse(location.x, location.y, diameter, diameter);
}
```

円を描く機能を別のオブジェクトとして独立させてみましょう。円を描く機能をクラス（DrawEllipse）として記述します。

```
// DrawEllipseクラスの宣言
class DrawEllipse {
  // データ（変数）
  float diameter;
  PVector location;

  // メソッド1
  void setup() {
    diameter = 400;
    location = new PVector(width/2, height/2);
  }

  // メソッド2
  void draw() {
    ellipse(location.x, location.y, diameter, diameter);
  }
}
```

Processing では、「class クラス名 { … }」という記述でクラスを定義します。ここでは、DrawEllipse クラスが定義されています。そして、「{ … }」の中にデータとメソッドを記述します（**図 5.12**）。データはクラス内の変数、メソッドは関数として記述します。

▼図 5.12：DrawEllipse クラス

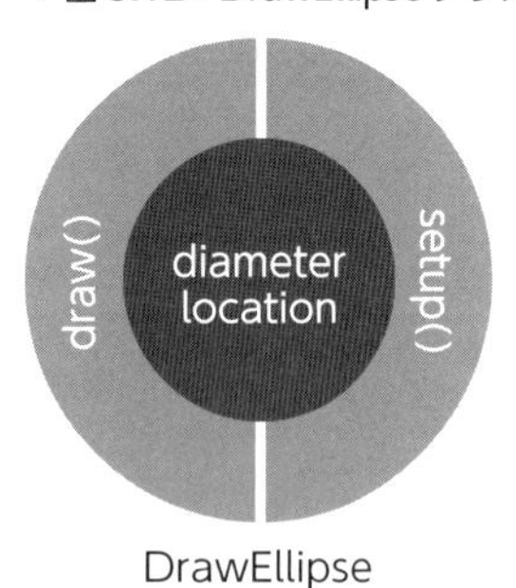

最後にこのクラスをインスタンス化、つまりオブジェクトを生成して、プログラムに読み込みます。Processing では**リスト 5.4** のようにしてインスタンス化を行います。

▼リスト 5.4：クラスのインスタンス化

```
DrawEllipse myCircle;  // オブジェクトmyCircleの準備

void setup(){
  size(800, 600);
   // DrawEllipseクラスをインスタンス化して、
   // myCircleオブジェクトを生成する
  myCircle = new DrawEllipse();
  // myCircleクラスのsetup()を呼び出し
  myCircle.setup();
}

void draw(){
  // myCircleクラスのdraw()を呼び出し
  myCircle.draw();
}

// DrawEllipseクラスの宣言
class DrawEllipse {
  // データ（変数）
  float diameter;
  PVector location;

  // メソッド1
  void setup() {
    diameter = 400;
    location = new PVector(width/2, height/2);
  }

  // メソッド2
  void draw() {
    ellipse(location.x, location.y, diameter, diameter);
```

```
  }
}
```


クラスの初期化関数：コンストラクタ

DrawEllipse クラスをインスタンス化する際に、パラメータを渡すこともできます。インスタンス化の際に「コンストラクタ」という特別な関数を記述できます。コンストラクタは、クラスが生成される際の初期化関数のようなものとらえられます。

コンストラクタは次のルールがあります。

- 関数名は、クラス名と同一にすること
- 戻り値は指定しない

では、**リスト 5.4** を改良してみましょう（**リスト 5.5**）。

▼リスト 5.5：コンストラクタ

```
DrawEllipse myCircle;  // オブジェクトmyCircleの準備

void setup() {
  size(800, 600);
  // DrawEllipseクラスをインスタンス化して、
  // myCircleオブジェクトを生成する
  // コンストラクタにdiameterとloactionを指定する
  myCircle = new DrawEllipse(400, new PVector(width/2, height/2)); ――❶
}

void draw() {
  // myCircleクラスのdraw()を呼び出し
  myCircle.draw();
}

// DrawEllipseクラスの宣言
class DrawEllipse {
  // データ（変数）
  float diameter;
  PVector location;

  // コンストラクタ
  DrawEllipse(float _diameter, PVector _location) {
    diameter = _diameter;
    location = _location;
  }

  // メソッド1
```

（次ページへ続く）

```
  void draw() {
    ellipse(location.x, location.y, diameter, diameter);
  }
}
```

DrawEllipseクラス内のsetup()が、コンストラクタ（❶）に変更されています。さらに、DrawEllipseのコンストラクタは、直径と位置という2つの引数を受け取るように書かれています。これにより、DrawEllipseクラスをインスタンス化する際にクラスの外部から直径と位置を指定できるようになっています。

クラスは、複数のオブジェクトを生成することもできます（**リスト5.6**）。設計図さえ書いてしまえば、それをひな形にしてオブジェクトを大量生産できるのです。

▼リスト5.6：複数のオブジェクトを作成

```
DrawEllipse myCircle0;  // 1つ目の円
DrawEllipse myCircle1;  // 2つ目の円

void setup() {
  size(800, 600);
  // 半径と位置を指定して、2つのオブジェクトを生成する
  myCircle0 = new DrawEllipse(300, new PVector(300, 300));
  myCircle1 = new DrawEllipse(150, new PVector(500, 500));
}

void draw() {
  // それぞれの円を描く
  myCircle0.draw();
  myCircle1.draw();
}

// DrawEllipseクラスの宣言
class DrawEllipse {
  // データ（変数）
  float diameter;
  PVector location;

  // コンストラクタ
  DrawEllipse(float _diameter, PVector _location) {
    diameter = _diameter;
    location = _location;
  }

  // メソッド1
  void draw() {
    ellipse(location.x, location.y, diameter, diameter);
  }
}
```

完成イメージの解析

ここまでで完成イメージの**リスト 5.1**（P77）を読み解くための知識が揃いました。改めてプログラムを眺めてみましょう。

宣言部

まず、冒頭で 1,000 個の Particle クラスのインスタンスを格納するため、配列を準備（領域を確保）しています。配列の数は、あとですぐに変えられるように int 型の変数 NUM として定義しています。ただし、この時点では配列の中身は空になっていることに注意してください。

```
int NUM = 1000; // パーティクルの数
Particle[] myParticle = new Particle[NUM]; // Particleクラスの配列
```

setup()

setup() では、まず画面の基本設定をしたあと、for 文を使って準備した配列の数（= 1,000）だけ Particle クラスをインスタンス化しています。Particle クラスは、コンストラクタで第 1 引数に描画する円の直径を指定するように設計されています。ここでは、random() を使用して、8〜32 ピクセルの範囲でランダムな直径を指定しています。生成したインスタンスは、myParticles[] 配列に格納されていきます。

```
void setup() {
  size(800, 600, P2D); // 800×600ピクセルの画面を生成する
  frameRate(60);       // フレームレート
  blendMode(ADD);      // 色は加算合成する
  noStroke();          // 枠線はなし

  // 配列の数だけ繰り返し
  for (int i = 0; i < NUM; i++) {
    // Particleオブジェクトを生成して配列に格納する
    // 直径を乱数で指定（最小8、最大32ピクセル）する
    myParticle[i] = new Particle(random(8, 32));
  }
}
```

draw()

draw() はとてもシンプルです。まず背景を黒くしたあと、再度配列の数だけ for 文でループを作り、myParticle 配列に格納した Particle クラスのインスタンスの、draw()（クラスの関数）を呼び出しています。これによってひとつひとつの Particle の円が描画されます。

```
void draw() {
  background(0); // 背景を描画する
  // 配列の数だけ繰り返し
  for (int i = 0; i < NUM; i++) {
    // Particleクラスのdraw()を実行する
    myParticle[i].draw();
  }
}
```

Particle クラス

ここから Particle クラスの定義に入ります。まず、class Particle{ ... } というクラスの定義を開始します。その直後にクラス全体で使用する変数を 4 つ定義しています。パーティクルの色(color col)、直径 (float diameter)、パーティクルの位置 (PVector location)、パーティクルの速度 (PVector velocity) です。

```
// Particleクラス
class Particle {
  color col;          // パーティクルの色
  float diameter;     // パーティクルの直径
  PVector location;   // パーティクルの位置
  PVector velocity;   // パーティクルの速度
```

次にコンストラクタを定義しています。コンストラクタの関数名はクラス名と同じ Particle() になります。コンストラクタ Particle は、描画するパーティクルの直径 (float _diameter) を引数として受け取り、それをクラス全体の変数 float diamter に反映しています。そして、初期位置と初期速度、そして色をランダムに生成してそれぞれクラス全体の変数に格納しています。

```
  Particle(float _diameter) {
    // 大きさの初期設定
    diameter = _diameter;
    // 位置のベクトルの初期設定
    location = new PVector(random(0, width), random(0, height));
    // 速度のベクトルの初期設定
    velocity = new PVector(random(-4, 4), random(-4, 4));
    // 色の初期設定
    col = color(random(255), random(255), random(255));
  }
```

最後に draw() です。ここでは、パーティクルの描画と位置の更新をしています。まずはじめに色を col に指定して、位置 location に幅と高さが diameter の円を描画しています。

```
  void draw() {
    fill(col); // 色を指定する
    // 指定した位置に円を描画する
    ellipse(location.x, location.y, diameter, diameter);
```

描画のあとは位置を更新します。これは単純に位置ベクトルである location に速度ベクトルの velocity を加算しています。

```
    // 位置のベクトルに速度のベクトルを加算、次の位置になる
    location.add(velocity);
```

最後に画面の端にきたときにバウンドする処理を行っています。if 文で画面の左右と上下に来た瞬間のタイミングを検知して、その瞬間速度を反転することでバウンドを実現しています。

```
    // もし画面の左端、または右端に到達したら
    if ((location.x < 0) || (location.x > width)) {
      velocity.x = velocity.x * -1; // X方向のスピードを反転させる
    }
    // もし画面の下端、または上端に到達したら
    if ((location.y < 0) || (location.y > height)) {
      velocity.y = velocity.y * -1; // Y方向のスピードを反転させる
    }
  }
}
```

クラスを独立したファイルに分割

ここまでのサンプルでは、setup()、draw() というメインの構造と、クラスの記述を 1 つのファイルに格納していました。もちろん、この方法でも問題はないのですが、例えば作成したクラスを別のクラスで再利用したい場合や、大量のクラスを記述する場合に、1 つのファイルにまとめるのではなく、クラスごとにファイルを分割するほうが便利になることがあります。もちろん、Processing でもクラスごとにファイルを分割できます。

では、先ほどのParticleクラスを例にして、クラスのファイルを分割してみましょう。スケッチのエディタの上部にある「▼」ボタンを押して表示されたプルダウンメニューから「新規タブ」を選択します（**図5.13**）。

▼図5.13：新規タブ

すると、新規名ダイアログ（**図5.14**）が表示されるので、保存するクラス名を入力します。今回は「Particle」と入力して［OK］します。

▼図5.14：新規名ダイアログ

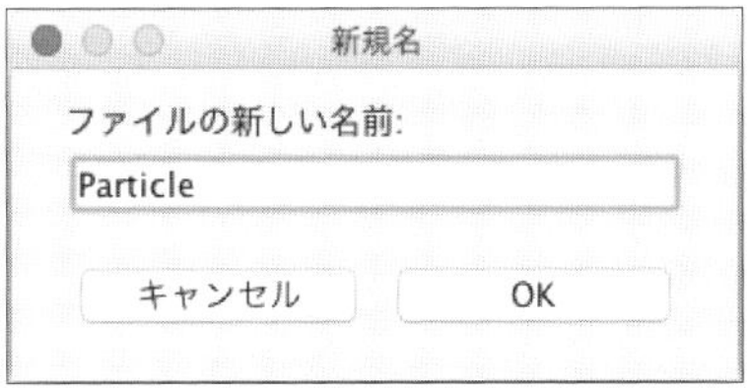

新規名
ファイルの新しい名前:
Particle
キャンセル OK

すると、エディタ画面の上部に作成したタブ（Particleタブ）が追加されます（**図5.15**）。タブを選択することで編集するファイルを相互に行き来できます。メインのタブ（プロジェクトのファイル）からParticleクラスの記述部分をカット＆ペーストでParticleタブに移動します。

▼図 5.15：追加されたタブ

ここまで作業したら、プロジェクトの入っているフォルダを開いてみてください。最初に作成したファイル「sketch_xxxxxx.pde」と同じ場所に「Particle.pde」というファイルが新規に作成されています。Particle クラスが独立したファイルとして分割できました。作成した Particle クラスのファイル Particle.pde は、ほかのプロジェクトでも使うことができます。

COLUMN

表紙のプログラムについて - ノイズを使った表現

本書のカバーの背景に描かれている曲線のパターンは Processing で作成しています。リスト 5.7 がそのコードです。パーリンノイズという生成表現を用いて複雑な表現を描いていますが、コード自体は意外とシンプルです。パーリンノイズについは第 8 章の P134 で解説します。

▼リスト 5.7 カバーの曲線に使用したノイズ表現

```
import processing.pdf.*;  // PDF Exportライブラリのインポート

float strength = 1400.0;  // ノイズの強さ
int step = 6;             // グリッドの細かさ
float noiseScale = 0.002; // パーリンノイズのスケール

void setup() {
  size(1920, 1200);
  noLoop(); // ループさせない(1フレームのみ書き出す)
}
```

```
void draw() {
  // PDF書き出し
  beginRecord(PDF, "output.pdf");
  // 描画の設定
  background(255);
  stroke(191);
  noFill();
  // 2次元のパーリンノイズをベジェ曲線で描画
  for (int j = -height*2; j < height*2; j += step) {
    beginShape();
    for (int i = -width/2; i < width * 1.5; i += step) {
      float noise = noise(i * noiseScale, j * noiseScale) * strength;
      curveVertex(i, j + noise + (i * 0.5));
    }
    endShape();
  }
  // PDFの記録を終了してファイルに書き出し
  endRecord();
}
```

このプログラムのポイントは、実行結果をPDF形式で書き出している部分です。高解像度の印刷でもなめらかな曲線を表現するために、PDFで出力する方法を選択しました。

PDFを書き出すための機能は、付属しているCore Library[注1]であるPDF Exportライブラリを使用します。このライブラリを使用してPDFファイル出力する方法はいくつかありますが、今回はスクリーンに画面を表示しつつ、1フレームのみPDFファイルに書き出す方式を使用しています。この方法で書き出すには、通常のProcessingのプログラムにいくつかの変更を加えます。

まず、プログラムの冒頭でPDF Exportライブラリを読み込みます。

```
import processing.pdf.*;
```

そして、setup()内で1フレームだけ描画させてループを止める処理を加えます。

```
noLoop();
```

最後に、PDFで出力する範囲を指定します。また、同時にPDFのファイル名も指定します。次のように書き出す範囲を指定する記述を加えます。

```
beginRecord(PDF, "output.pdf");
// PDF出力するコードを記述
endRecord();
```

この範囲で記述した図形がPDF形式に変化され、ファイル出力されます。ファイルはプログラムのdataフォルダ内に書き出されます。

PDF出力に関する詳細は、ProcessingのWebサイトの次のページを参照してください。

https://processing.org/reference/libraries/pdf/index.html

注1 Core Libraryについては第10章で解説します。

応用編

ここまでは、アニメーションの基本として、現在のフレームから次のフレームへの差分を記述してなめらかな動きを実現してきました。本 Part では、さらにその動きの根底にある物理的な法則を理解した上で、その動きの原理から記述していきます。また、マウスの操作によりインタラクティブに動きが変化するようになります。最終的には、これまでの 2D による平面の動きからさらに奥行のある 3D の世界へと発展します。

完成イメージ：マウスドラッグで引き寄せられるパーティクル

本 Part で作成する完成イメージを紹介します（**図 C.1**）。完成したコード（P125 のリスト 8.1 と P128 のリスト 8.2）を実行したら画面の上でマウスをクリックし続けてみてください。マウスの先がまるでブラックホールになったようにパーティクルが吸い寄せられ、複雑な模様を描き出します（**図 C.1**）。コード量が多くなり、処理内容も複雑になったように感じるかもしれません。しかし、動きを生み出しているエッセンスを理解すれば、容易に理解できます。ここでキーとなるのが力学、より正確にいうとニュートン力学の理解です。本 Part で、物理的な法則にそった動きとマウスを使ったインタラクティブな操作を学習していきましょう。

▼図 C.1：3D 空間のパーティクルをマウスドラッグで引き寄せる

第6章 ニュートン力学でリアルな表現

次のフレームの位置を算出するだけでは、実世界のように摩擦力や重力などの影響する世界を記述するのは困難です。そこで本章では、実世界のリアルな動きをシミュレートできるように、古典的な物理学である「ニュートン力学」の考え方を応用していきます。

ニュートン力学の 3 つの法則

ニュートンは物体の運動の法則を、次の 3 つにまとめました。

- 第 1 法則（慣性の法則）
  物体（質点）は、力が作用しない限り、静止または等速直線運動する
- 第 2 法則（ニュートンの運動方程式）
  物体（質点）の加速度は、そのとき物体に作用する力に比例し、物体の質量に反比例する
- 第 3 法則（作用・反作用の法則）
  2 つの物体（質点）の間に相互に力が働くとき、物体 2 から物体 1 に作用する力と、物体 1 から物体 2 に作用する力は大きさが等しく逆向きである

ここでは 3 つの法則の中で、第 2 法則のニュートンの運動方程式に注目します。数式で表すと、とても短く簡単な式になります。

$$f = ma$$

- f：力（force）
- m：質量（mass）
- a：加速度（acceleration）

物体に力（force）を与えると力に比例して加速度（acceleration）が発生します。加速度とは、単位時間あたりの速度（velocity）の変化です。静止している物体は速度の変化がありません。加速度は 0 になります。また、これまで扱ってきたような、常に同じ速度で動く等速直線運動もまた速度の変化がありません。ですので、この場合も加速度は 0 になります。加速度が 0 より大きくなると、物体はどんどん速度を上げていき加速していきます。反対に加速度が 0 よりも小さくなると、速度は徐々に減速していきます。

ニュートンの運動方程式

加速度、速度、位置の関係は、**図 6.1** のようにビリヤードを思い浮かべると理解しやすいかもしれません。静止している手玉をキューで突いて動かすまでを考えてみましょう。キューを突くまで手玉は静止しています。つまり加速度 0 の状態です。キューで手玉を突いた瞬間、手玉に力が加わります。与えた力に比例して加速度が発生します（f = ma）。強い力で突けば加速度は大きくなり、弱い力では小さくなります。加速度は速度の変化です。つまり加速度が 0 より大きくなると、それに応じて速度が生まれます。そして、速度の値だけ位置が変化します。つまり手玉が動き出すわけです。

▼図 6.1：ビリヤードの運動と加速度

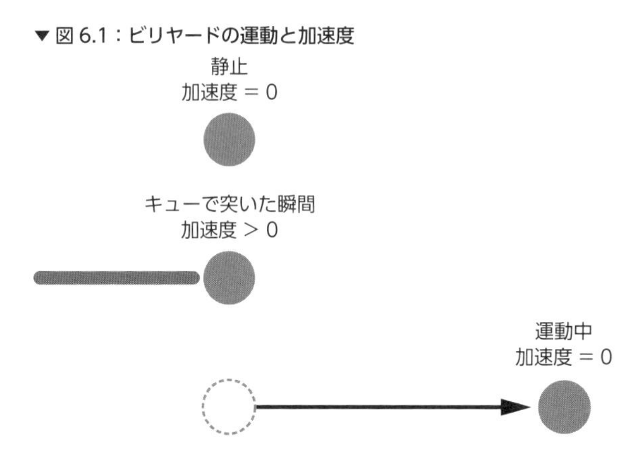

ここで注意すべき点は、手玉をキューで突くのは一瞬だけということです。手玉が動きだしてからは一切力を加えません。つまり動き出した玉の加速度は 0 にリセットされることになります。もしまったく摩擦のない理想的な空間であれば、突いた玉は同じ速度で永遠に動き続けます。ただし実世界には摩擦が存在するので実際には徐々に勢いを弱めていき、最終的に静止します。

この関係を Processing で実装すると次のようになります。物体に与えた力から加速度が求まり、加速度分だけ次のフレームでの速度が変化します。変化した速度から次のフレームの位置が求まります。これで毎フレームごとの動きが生まれます。

```
acceleration = force / mass;         // 力と質量から加速度を求める
velocity = velocity + acceleration; // 加速度から速度を求める
location = location + velocity;     // 速度から位置を求める
```

では、加速度と速度と位置の関係を簡単なプログラムで表現してみましょう（**リスト 6.1**）。質量 1.0 の物体に、(3.0, 2.0) の力を加えてみます。実行すると、等速直線運動になります（**図 6.2**）。ここで注意すべき点は、加速度は最初の 1 フレームでのみ加算され、直後に 0 にリセットされることです。ビリヤードの例でいうと、最初のフレームでキューを突いてあとは力を加えていません。

▼ リスト 6.1：加速度と速度と位置　　【実行結果は図 6.2】

```
PVector force;        // 力
PVector acceleration; // 加速度
PVector location;     // 位置
PVector velocity;     // 速度
float mass;           // 質量

void setup(){
  size(800, 600);
  frameRate(60);
  // 位置、速度を初期化する
  location = new PVector(0.0, 0.0);
  velocity = new PVector(0.0, 0.0);
  force = new PVector(3.0, 2.0);   // (3.0, 2.0)の力を加える
  mass = 1.0;                      // 質量は1.0に設定する
  acceleration = force.div(mass);  // 質量と速度から加速度を算出する
}

void draw(){
  // 背景をフェードさせる
  fill(0, 31);
  rect(0, 0, width, height);
  fill(255);
  noStroke();
  velocity.add(acceleration);  // 加速度から速度を算出する
  location.add(velocity);      // 速度から位置を算出する
  acceleration.set(0, 0);      // 加速度を0にリセット(等速運動)する
  ellipse(location.x, location.y, 20, 20);  // 円を描画する
}
```

▼ 図 6.2：円が左上から右下に移動して消える　　【リスト 6.1 の実行結果】

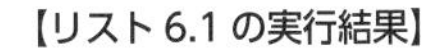

摩擦力

ここまでの状態はまったく抵抗のない理想的な空間です。しかし、現実には空気抵抗や物体の接地面の抵抗など、物体の動きを減速させるさまざまな力が存在します。これらの力は、摩擦力（friction）と総称されます。摩擦力とは、質量を持った物体が動いているとき、物体の進行方向と逆向きに働く力のことです（**図 6.3**）。

▼図 6.3：摩擦力

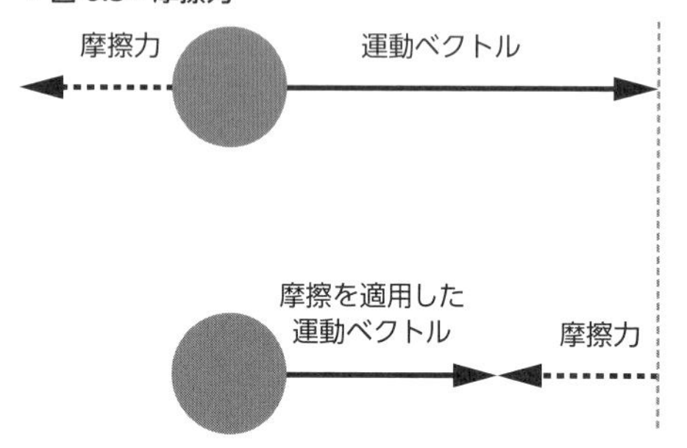

ここでは、物体には常に同じ強さの摩擦力がかかると考えましょう。摩擦力は常に速度を一定の割合で減速させると考えられます。ですので、速度のベクトルに対する掛け算として実装します。摩擦力が 0 のときは速度に変化がなく、摩擦力が 1.0 がまったく物体が動かなくなる最大の摩擦力とします。

$$velocity = velocity \times (1.0 - friction)$$

Processing で表現するには、PVector の掛け算として次のように実装します。

```
velocity.mult(1.0 - friction);
```

それでは、摩擦力（friction）を加えて**リスト 6.1** を修正してみましょう（**リスト 6.2**）。実行すると、円は左上から右下に移動して止まります。

▼リスト 6.2：摩擦力を加える

```
PVector force;        // 力
PVector acceleration; // 加速度
PVector location;     // 位置
PVector velocity;     // 速度
float mass;           // 質量
float friction;       // 摩擦力
```

```
void setup() {
  size(800, 600);
  frameRate(60);
  // 位置、速度を初期化する
  location = new PVector(0.0, 0.0);
  velocity = new PVector(0.0, 0.0);
  force = new PVector(12.0, 8.0);  // (12.0, 8.0)の力を加える
  mass = 1.0;                      // 質量は1.0に設定する
  friction = 0.02;                 // 摩擦力を0.02に設定する
  acceleration = force.div(mass);  // 質量と速度から加速度を算出する
}

void draw() {
  //背景をフェードさせる
  fill(0, 31);
  rect(0, 0, width, height);
  fill(255);
  noStroke();
  velocity.add(acceleration);    // 加速度から速度を算出する
  velocity.mult(1.0 - friction); // 摩擦力から速度を変化させる
  location.add(velocity);        // 速度から位置を算出する
  acceleration.set(0, 0);        // 加速度を0にリセット(等速運動)する
  ellipse(location.x, location.y, 20, 20); // 円を描画する
}
```

重力

重力（gravity）はすべての物体に等しく同じ方向に同じ強さがかかる力と考えられます。例えば、画面の下に向かって1.0の重力を加えたければ、（0.0, 1.0）のベクトルの力を毎フレーム加速度に加えれば実現できます（**図6.4**）。

▼図6.4：重力と運動ベクトル

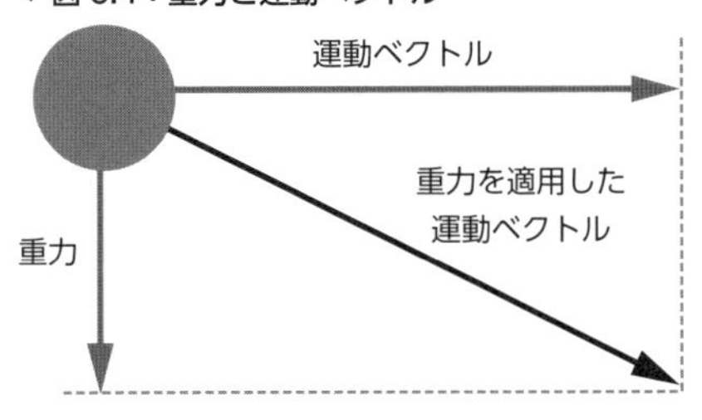

リスト6.2を少し改造して、重力を加えられるようにしてみましょう（**リスト6.3**）。物体が放物線を描いて落ちていきます。

▼リスト 6.3：重力を付加

```
PVector force;        // 力
PVector acceleration; // 加速度
PVector location;     // 位置
PVector velocity;     // 速度
PVector gravity;      // 重力
float mass;           // 質量
float friction;       // 摩擦力

void setup() {
  size(800, 600);
  frameRate(60);
  // 位置、速度を初期化
  location = new PVector(0.0, 0.0);
  velocity = new PVector(0.0, 0.0);
  gravity = new PVector(0.0, 1.0); // 下向きに1の重力を設定する
  force = new PVector(12.0, 8.0);  // (12.0, 8.0)の力を加える
  mass = 1.0;                      // 質量は 1.0 に設定する
  friction = 0.01;                 // 摩擦力を0.01に設定する
  acceleration = force.div(mass);  // 質量と速度から加速度を算出する
}

void draw() {
  background(255);
  fill(35);
  noStroke();
  acceleration.add(gravity);     // 重力を加える
  velocity.add(acceleration);    // 加速度から速度を算出する
  velocity.mult(1.0 - friction); // 摩擦力から速度を変化させる
  location.add(velocity);        // 速度から位置を算出する
  acceleration.set(0, 0);        // 加速度を0にリセット(等速運動)する
  ellipse(location.x, location.y, 20, 20); // 円を描画する
}
```

壁によるバウンド

落ちていくだけではわかりづらいので、画面の端４辺に壁を作ってバウンドするようにしてみましょう（**リスト 6.4**）。bounceOffWalls()（❶）で実現しています。また、物体が運動する範囲を min と max という２つのベクトルで指定できるようにしました。min を（0, 0）、max を（width, height）にすると画面全体での運動になります。実行すると放物線を描いて落下するボールが画面の端でバウンドしながら徐々に勢いを削がれていく様子が、とてもリアルなアニメーションとして表現できました（**図 6.5**）。

▼リスト 6.4：画面の端でバウンド

```
PVector force;        // 力
PVector acceleration; // 加速度
PVector location;     // 位置
PVector velocity;     // 速度
PVector gravity;      // 重力
float mass;           // 質量
float friction;       // 摩擦力
PVector min;          // 稼動範囲（min）
PVector max;          // 稼動範囲（max）

void setup() {
  size(800, 600);
  frameRate(60);
  // 位置、速度を初期化する
  location = new PVector(0.0, 0.0);
  velocity = new PVector(0.0, 0.0);
  gravity = new PVector(0.0, 1.0); // 下向きに1.0の重力を設定する
  force = new PVector(12.0, 8.0);  // (12.0, 8.0) の力を加える
  // 稼動範囲を設定
  min = new PVector(0.0, 0.0);
  max = new PVector(width, height);
  mass = 1.0;                      // 質量は1.0に設定する
  friction = 0.01;                 // 摩擦力を0.01に設定する
  acceleration = force.div(mass);  // 質量と速度から加速度を算出する
}

void draw() {
  // 背景をフェードさせる
  fill(0, 31);
  rect(0, 0, width, height);
  fill(255);
  noStroke();
  acceleration.add(gravity);     // 重力を加える
  velocity.add(acceleration);    // 加速度から速度を算出する
  velocity.mult(1.0 - friction); // 摩擦力から速度を変化させる
  location.add(velocity);        // 速度から位置を算出する
  acceleration.set(0, 0);        // 加速度を0にリセット（等速運動）する
  ellipse(location.x, location.y, 20, 20); // 円を描画する
  bounceOffWalls();              // 壁でバウンドさせる
}

// 壁のバウンドを計算する ─────────┐
void bounceOffWalls() {
  if (location.x > max.x) {
    location.x = max.x;
    velocity.x *= -1;                              ├──❶
  }
  if (location.x < min.x) {
    location.x = min.x;
```

（次ページへ続く）

```
    velocity.x *= -1;
  }
  if (location.y > max.y) {
    location.y = max.y;
    velocity.y *= -1;
  }
  if (location.y < min.y) {
    location.y = min.y;
    velocity.y *= -1;
  }
}
```

▼図 6.5：円が画面の端でバウンドする

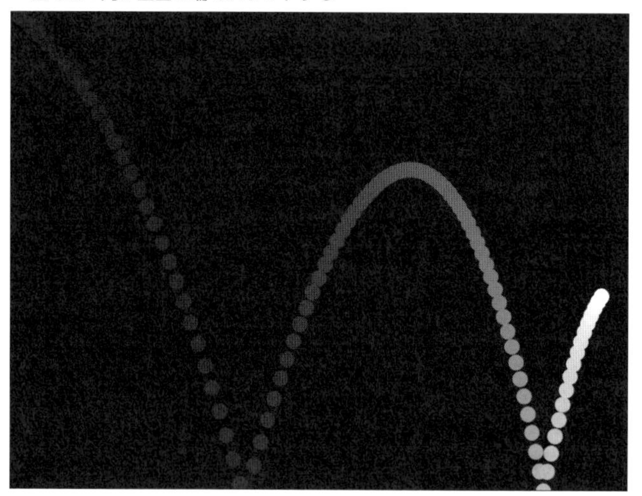

運動方程式をクラス化

では、加速度、速度、位置、そして摩擦力と重力を活用した運動方程式をクラス化して、簡単に利用できるようにしてみましょう。ここでは ParticleVec2 というクラス名にしています（**リスト 6.5**）。また、壁（画面の端）まできたらバウンドする動き bounceOffWalls() に加えて、壁にきたら反対側から出現するようにした動きを throughWall() として付け加えています。

▼ リスト 6.5：ParticleVec2 クラス

```
// 物体の運動を計算（運動方程式）
class ParticleVec2 {
  PVector location;     // 位置
  PVector velocity;     // 速度
  PVector acceleration; // 加速度
  PVector gravity;      // 重力
  float mass;           // 質量
  float friction;       // 摩擦力
  PVector min;          // 稼動範囲（min）
  PVector max;          // 稼動範囲（max）
  float radius;         // パーティクル半径

  // コンストラクタ
  ParticleVec2() {
    radius = 4.0;
    mass = 1.0;      // 質量は1.0に設定する
    friction = 0.01; // 摩擦力を0.01に設定する
    // 位置、速度、加速度を初期化する
    location = new PVector(0.0, 0.0);
    velocity = new PVector(0.0, 0.0);
    acceleration = new PVector(0.0, 0.0);
    gravity = new PVector(0.0, 0.0); // 重力なし
    // 稼動範囲を設定する
    min = new PVector(0.0, 0.0);
    max = new PVector(width, height);
  }

  // 運動方程式から位置を更新
  void update() {
    acceleration.add(gravity);      // 重力を加える
    velocity.add(acceleration);     // 加速度から速度を算出する
    velocity.mult(1.0 - friction); // 摩擦力から速度を変化させる
    location.add(velocity);         // 速度から位置を算出する
    acceleration.set(0, 0);         // 加速度を0にリセット（等速運動）する
  }

  // 描画
  void draw() {
    ellipse(location.x, location.y, mass * radius * 2, mass * radius * 2);
  }

  // 壁でバウンドさせる
  void bounceOffWalls() {
    if (location.x > max.x) {
      location.x = max.x;
      velocity.x *= -1;
    }
    if (location.x < min.x) {
      location.x = min.x;
```

（次ページへ続く）

```
      velocity.x *= -1;
    }
    if (location.y > max.y) {
      location.y = max.y;
      velocity.y *= -1;
    }
    if (location.y < min.y) {
      location.y = min.y;
      velocity.y *= -1;
    }
  }

  // 壁を突き抜けて反対から出現させる
  void throughWalls() {
    if (location.x < min.x) {
      location.x = max.x;
    }
    if (location.y < min.y) {
      location.y = max.y;
    }
    if (location.x > max.x) {
      location.x = min.x;
    }
    if (location.y > max.y) {
      location.y = min.y;
    }
  }
}
```

こうして運動の法則をクラス化してしまえば、簡単に再利用できます。再利用できるだけでなく、コードの中でクラスを複製して、一気に大量の動きを同時に演算できます。

では、さっそく大量の粒（パーティクル）をParticleVec2クラスのインスタンスとして複製して生成し、その動きを見てみましょう。**リスト6.6**を、ParticleVec2クラスと同じフォルダ内に作成します。

▼リスト6.6：ParticleVec2クラスを利用したパーティクル操作 【実行結果は図6.6】

```
int NUM = 1000; // パーティクルの数
// パーティクルを格納する配列
ParticleVec2[] particles = new ParticleVec2[NUM];

void setup() {
  size(800, 600, P2D);
  frameRate(60);
  // パーティクルを初期化する
  for (int i = 0; i < NUM; i++) {
    // クラスをインスタンス化する
    particles[i] = new ParticleVec2();
```

```
    // 初期位置は画面の中心にする
    particles[i].location.set(width/2.0, height/2.0);
    // ランダムに加速度を設定する
    particles[i].acceleration.set(random(-10, 10), random(-10, 10));
    // 下向きに0.1の重力にする
    particles[i].gravity.set(0.0, 0.1);
    // 摩擦を0.01にする
    particles[i].friction = 0.01;
  }
}

void draw() {
  // 背景をフェードさせる
  fill(0, 31);
  rect(0, 0, width, height);
  noStroke();
  fill(255);
  // パーティクルの位置を更新して描画する
  for (int i = 0; i < NUM; i++) {
    particles[i].update();         // 位置を更新する
    particles[i].draw();           // 描画する
    particles[i].bounceOffWalls(); // 壁でバウンドさせる
  }
}
```

実行すると画面の中心から大量のパーティクルが拡がります。拡がったパーティクルは重力に引っ張られて下に落ちていきバウンドします。最初は勢いよく動きまわりますが、摩擦力の影響で徐々に減速していく様子も見てとれます。

▼図6.6：ランダムな拡がり

【リスト6.6の実行結果】

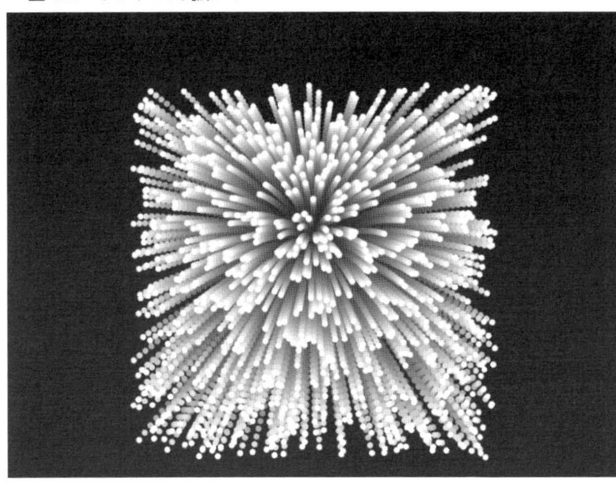

ただ、よく見ると、最初にパーティクルが拡がっていく際に四角形が拡大するように拡散していきます。なぜこうなってしまうのでしょう？ これは、初期値として与えているランダムの範囲をX軸とY軸でそれぞれ設定してしまっていることに起因します。

```
// ランダムに加速度を設定
particles[i].acceleration.set(random(-10, 10), random(-10, 10));
```

もっと自然に放射状に円が拡がるように、ランダムの設定を**リスト 6.7** の setup() のように変更してみましょう。❶ではランダムの範囲を中心からの距離と角度によって算出しています。実際にコードを動かしてパーティクルが拡がる様子を観察してみましょう。放射状にパーティクルが拡がるようになっています。

▼ リスト 6.7：中心からの距離と角度によるランダムな拡がり　【実行結果は図 6.7】

```
int NUM = 1000; // パーティクルの数
// パーティクルを格納する配列
ParticleVec2[] particles = new ParticleVec2[NUM];

void setup() {
  size(800, 600, P2D);
  frameRate(60);
  // パーティクルを初期化する
  for (int i = 0; i < NUM; i++) {
    // クラスをインスタンス化する
    particles[i] = new ParticleVec2();
    // 初期位置は画面の中心に
    particles[i].location.set(width/2.0, height/2.0);
    // ランダムに加速度を設定する（ランダムの範囲を中央からの距離に）
    float angle = random(PI * 2.0);                    ─┐
    float length = random(20);                          │
    float posX = cos(angle) * length;                   ├─❶
    float posY = sin(angle) * length;                   │
    particles[i].acceleration.set(posX, posY);         ─┘
    // 下向きに0.1の重力にする
    particles[i].gravity.set(0.0, 0.1);
    // 摩擦を0.01にする
    particles[i].friction = 0.01;
  }
}

...（後略）...
```

▼図 6.7：中心からのパーティクルがランダムに拡がる　　【リスト 6.7 の実行結果】

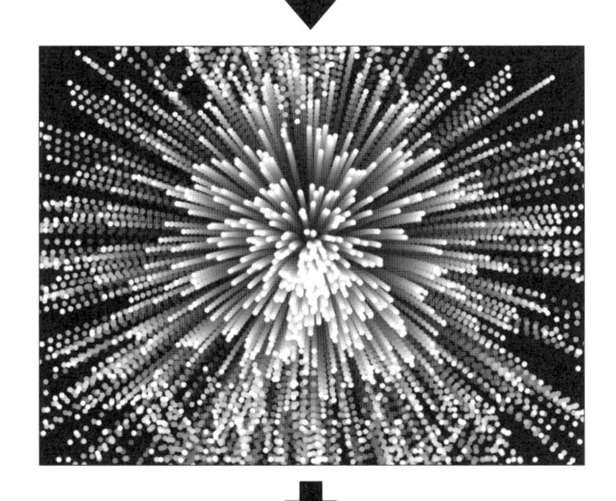

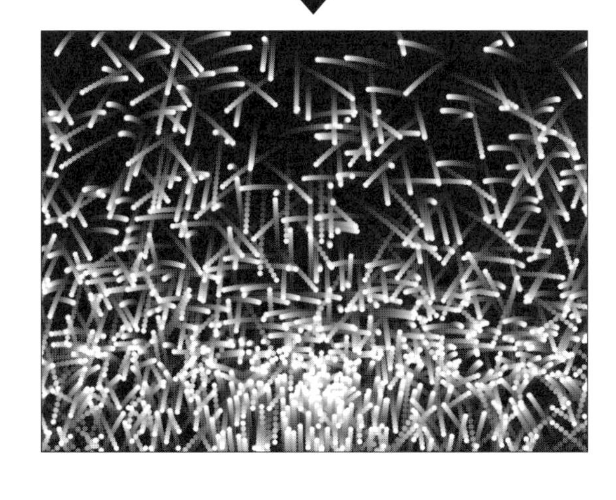

第7章 インタラクション

ここからは、前章のParticleVec2クラス（**リスト6.5**）を使って、よりインタラクティブな表現に発展させていきます。

 マウスによるインタラクションの基礎

インタラクティブな、つまりソフトウェアと人間が相互に干渉し合うためには、ユーザの入力を受け取るしくみが必要になります。マウスやキーボードからの入力だけでなく、マイクを使った音声入力、カメラからの映像の変化、KinectやLeap Motionなど外部のセンサーからの入力などさまざまな手段が考えられます。

まずはマウスの入力によるインタラクションについて取り上げていきます。Processingでは、マウス入力を用いたインタラクションのための関数があらかじめ用意されています（**表7.1**）。

▼表7.1：マウス入力を用いたインタラクションのための関数

関数名	意味
mousePressed()	マウスボタンを押した瞬間呼び出される
mouseReleased()	マウスボタンを離した瞬間呼び出される
mouseClicked()	マウスボタンを押して、そのあと離した瞬間に呼び出される
mouseDragged()	マウスをドラッグしている間呼び出される
mouseMoved()	マウスポインタを動かしている間呼び出される
mouseWheel()	マウスホイールを操作している間呼びだされる

これらの関数は、setup()〜draw()のループが実行されている間もマウスの操作によって外部から割り込む形で実行されます。このような何らかのアクションが発生した際にプログラムに発信される信号のことを「イベント」と呼びます。マウスに関するイベントは「マウスイベント」と呼ばれます。

マウスイベントのほかに、Processingではマウスの状態を常に参照できるシステム変数（Processingのシステムにあらかじめ組み込まれている変数）が存在します（**表7.2**）。

▼表7.2：マウスの状態を常に参照できるシステム変数

システム変数名	意味
mouseX	マウスのX座標
mouseY	マウスのY座標
pmouseX	1フレーム前のマウスのX座標
pmouseY	1フレーム前のマウスのY座標
mousePressed	マウスのボタンが押されているか (true, false)

マウスイベント

では、マウスイベントとマウスに関するシステム定数を使って簡単なサンプルを作ってみましょう。**リスト7.1**では、マウスの位置を保持しているシステム変数のmouseX、mouseYと、マウスボタンの押す／離すを検知するマウスイベントmousePressed()、mouseReleased()が使われています。mouseXとmouseYを利用して、マウスポインタの位置を中心にして円が移動します。マウスイベントを利用して、円の色はマウスを押している間は赤に、ボタンを離していると青にしています。

▼リスト7.1：マウスイベント　【実行結果は図7.1】

```
// 円の色を格納する変数
color col = color(0, 0, 255);

void setup() {
  size(800, 600);
}

void draw() {
  background(0);
  noStroke();
  fill(col);                         // 色を設定する
  ellipse(mouseX, mouseY, 100, 100); // マウスポインタの位置を中心に円を描く
}

void mousePressed() {
  col = color(255, 0, 0); // マウスを押すと赤にする
}

void mouseReleased() {
  col = color(0, 0, 255); // マウスを離すと青にする
}
```

▼図 7.1：マウスを動かすと円が移動、クリックすると色が変わる

【リスト 7.1 の実行結果】

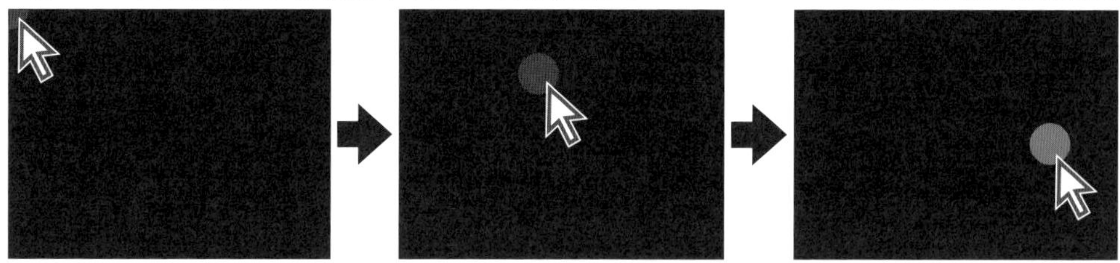

マウスによるパーティクル操作

では、マウスイベントを使って、ParticleVec2 クラス（P109）をよりインタラクティブに操作できるようにしてみましょう。

まずはじめに、ParticleVec2 クラスに addForce(PVecter force) という関数を追加します。

```
// 力を加える関数
void addForce(PVector force) {
  force.div(mass);         // 力と質量から加速度を算出する
  acceleration.add(force); // 力を加速度に加える
}
```

addForce() は引数としてベクトル（PVector）で力を与えると、物体の重さから加速度を算出し、それを現在の加速度に加算するという計算をします。つまり、現在の加速度はそのままで、そこに力を加えた際の加速度の変化を計算できるしかけに利用できます。

addForce() をマウスイベントで呼び出してみましょう。**リスト 7.2** では、マウスのボタンを離した瞬間を検知する mouseReleased()（❶）を使用しています。この関数は、**リスト 6.7**（P112）の setup()、update() と並べて関数として定義します。for 文でパーティクルの数だけループして、それぞれのパーティクルにランダムな力をベクトルとして与えています。

リスト 7.2 を実行すると、最初に中央から放射状に拡がるパーティクルが徐々に摩擦力で勢いを落としていったあとで、画面をクリックすると再度ランダムに力が加えられ動きが活発になっていきます。何度も画面を連打すると、動きの勢いはどんどんと増していきます。

▼リスト7.2：mouseReleased() の追加 【実行結果は図7.2】

```
int NUM = 1000; // パーティクルの数
// パーティクルを格納する配列
ParticleVec2[] particles = new ParticleVec2[NUM];

void setup() {
  ... (中略) ...
}

void draw() {
  ... (中略) ...
}

void mouseReleased() {
  // パーティクルの数だけ繰り返し
  for (int i = 0; i < NUM; i++) {
    // ランダムの範囲を中央からの距離にする
    float angle = random(PI * 2.0);
    float length = random(20);
    PVector force = new PVector(cos(angle) * length, sin(angle) * length);
    particles[i].addForce(force);
  }
}
```
❶

▼図7.2：マウスによるパーティクル操作（クリックするとパーティクルが動く） 【リスト7.2の実行結果】

引力の付加

マウスイベントを使ったインタラクションを利用して、さらに複雑な動きを生み出してみましょう。

これまでは、重力を画面の下方向にかかる力と考えてきましたが、この空間を無重力空間ととらえ直します。マウスを画面上でクリックするとマウスポインタを中心としてブラックホールのような強い引力を持った領域が発生します。マウスボタンを押したまま移動すると（ドラッグ）、ブラックホールはマウスの位置に合わせて移動します。しかし、マウスポインタを離した瞬間に吸引力は消失し、マウスポインタから放射状に拡がるランダムな力をそれぞれのパーティクルに加えます。

吸引力を発生させる関数を、ParticleVec2 クラス（P109）に新たに追加します（関数名は「attract()」）。attract() 関数は若干複雑なので、じっくりと解析してみましょう。

```
// 引力を計算する
void attract(PVector center, float _mass, float min, float max) {
  // ①距離を算出する
  float distance = PVector.dist(center, location);
  // ②距離を指定した範囲内に収める（極端な値を無視する）
  distance = constrain(distance, min, max);
  // ③引力の強さを算出する (F = G(Mm/r^2))
  float strength = G * (mass * _mass) / (distance * distance);
  // ④引力の中心点とパーティクル間のベクトルを作成する
  PVector force = PVector.sub(center, location);
  // ⑤ベクトルを正規化する
  force.normalize();
  // ⑥ベクトルに力の強さを乗算する
  force.mult(strength);
  // ⑦力を加える
  addForce(force);
}
```

attract()

attract() は 4 つの引数を受け取っています。それぞれ次のパラメータを受け取るように想定しています。

- PVector center：吸引力の中心点
- float _mass　：吸引する物体の質量
- float min　　：計算する距離の最小値
- float max　　：計算する距離の最大値

なぜ、吸引する物体の質量をパラメータとして渡しているのでしょうか？ これは引力の計算に関係します。ニュートンはりんごが地面に落ちる様子を見て万有引力の法則に気付いたと伝えられています。万有引力とは、「地上において物体が地球に引き寄せられるだけではなく、この宇宙においてはどこでもすべて物体は互いに引力（gravitation）を及ぼしあっている」とする考え方です（**図7.3**）。

万有引力は、次の式で表されます。

$$F = G\,(Mm / r^2)$$

- F ：力
- G ：重力定数
- M ：物体１の質量
- m ：物体２の質量
- r ：距離

▼図7.3：引力

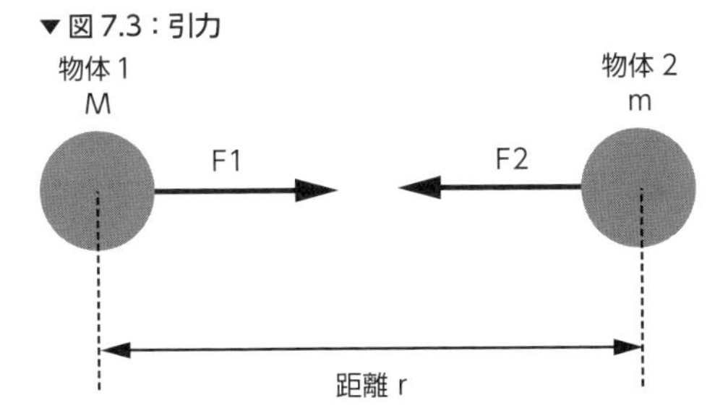

ここでは、マウスポインタの先端にとても質量の大きい（重い）物体、例えてみるならブラックホールのような物体が存在し、そこにすべてのパーティクルが吸引されていると考えます。

①距離の算出

まず、２つの物体の間、つまりパーティクルの位置から中心点までの距離を求めています。

```
// ①距離を算出する
float distance = PVector.dist(center, location);
```

②距離の範囲を指定（極端な値を無視する）

ただし、ここで計算する距離に条件をつけています。極端に近い距離の物体同士の引力を計算すると、巨大な引力が発生してしまいます。ですので、一定以上の近さになったらそれ以上は近づけないようにします。また、あまりに遠くの距離まで引力を計算するのは、効率的ではないので、一定以上の距離の場合もそれ以上は遠ざけないようにします。

```
// ②距離を指定した範囲内に収める（極端な値を無視する）
distance = constrain(distance, min, max);
```

constrain() は、このような数値を一定の範囲内に収めたいときに便利な関数で、値の合計値（amt）を low から high の範囲に収めます。

```
constrain(amt, low, high)
```

▶ ③引力の強さの算出

2 つの物体の質量と距離から、万有引力の数式を使って引力の強さを求めます。

```
// ③引力の強さを算出する（F = G(Mm/r^2))
float strength = G * (mass * _mass) / (distance * distance);
```

求められた引力の強さは、float 型の値（スカラー値）です。パーティクルに加わる最終的な力を求めるには、この値をベクトルに適用しなければなりません。

▶ ④引力の中心点とパーティクル間のベクトルの作成

吸引力のパーティクルの位置から中心点とまでのベクトルを算出しています。これはパーティクルの位置ベクトルと吸引力の中心の位置ベクトルの差分を求めることで得られます（**図 7.4**）。

```
// ④引力の中心点とパーティクル間のベクトルを作成する
PVector force = PVector.sub(center, location);
```

▼図 7.4：中心点への引力

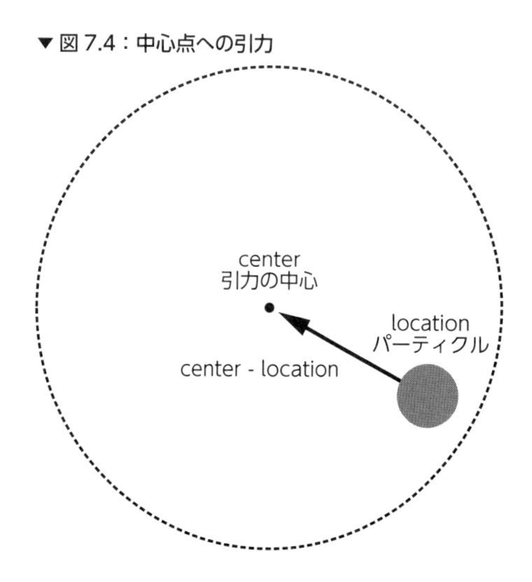

⑤ベクトルの正規化（単位ベクトル）

次に、ベクトルの方向はそのままで長さが1のベクトルを求めます。このベクトルを「単位ベクトル」と呼びます。

```
// ⑤ベクトルを正規化する（単位ベクトル）
force.normalize();
```

⑥ベクトルに力の強さを乗算

単位ベクトルに③で求めた引力の強さを掛け算すると、最終的な力がベクトルとして算出されます。

```
// ⑥ベクトルに力の強さを乗算する
force.mult(strength);
```

⑦力の付加

最後にこのベクトルをパーティクルに加えます。先ほど作成したaddForce()を利用します。

```
// ⑦力を加える
addForce(force);
```

完成したParticleVec2クラス

これで、引力を計算する関数の完成です！ 作成したattract()は、ParticleVec2クラス(P109)の中に**リスト7.3**のように格納します。

▼リスト7.3：ParticleVec2クラス

```
// ParticleVec2クラス
// 物体の運動を計算する（運動方程式）
class ParticleVec2 {

  ...（中略）...

  float G;   // 重力定数

  // コンストラクタ
  ParticleVec2() {

    ...（中略）...

    G = 1.0; // 重力定数を1.0にする
  }
```

（次ページへ続く）

```
... (中略) ...

  // 引力を計算する
  void attract(PVector center, float _mass, float min, float max) {
    // 距離を算出する
    float distance = PVector.dist(center, location);
    // 距離を指定した範囲内に収める (極端な値を無視する)
    distance = constrain(distance, min, max);
    // 引力の強さを算出する (F = G(Mm/r^2))
    float strength = G * (mass * _mass) / (distance * distance);
    // 引力の中心点とパーティクル間のベクトルを作成する
    PVector force = PVector.sub(center, location);
    // ベクトルを正規化する
    force.normalize();
    // ベクトルに力の強さを乗算する
    force.mult(strength);
    // 力を加える
    addForce(force);
  }

... (後略) ...
```

では、作成した引力を試してみましょう。マウスを画面内でドラッグするとマウスポインタに強力な引力が発生します。**リスト 7.4** を ParticleVec2.pde と同じフォルダ内に作成します。

マウスを画面内でドラッグすると、パーティクルが吸い寄せられながら複雑に飛びまわります。ここまでくると、物体が質量を持った実体のある物質のようにリアリティをもって感じられる表現となりました。ひとつひとつの物理法則を、きちんと適用してきた結果です。

▼ リスト 7.4：マウスに引き寄せられるパーティクル　【実行結果は図 7.5】

```
int NUM = 2000; // パーティクルの数
// パーティクルを格納する配列
ParticleVec2[] particles = new ParticleVec2[NUM];

void setup() {
  size(800, 600, P2D);
  frameRate(60);
  // パーティクルを初期化する
  for (int i = 0; i < NUM; i++) {
    // クラスをインスタンス化する
    particles[i] = new ParticleVec2();
    // 初期位置は画面の中心にする
    particles[i].location.set(random(width), random(height));
    // 重力を0.0にする
    particles[i].gravity.set(0.0, 0.0);
    // 摩擦力を0.01にする
    particles[i].friction = 0.01;
```

```
  }
}

void draw() {
  //背景をフェードさせる
  fill(0, 31);
  rect(0, 0, width, height);
  noStroke();
  fill(255);
  // パーティクルの位置を更新して描画する
  for (int i = 0; i < NUM; i++) {
    particles[i].update();          // 位置を更新する
    particles[i].draw();            // 描画する
    particles[i].bounceOffWalls(); // 壁でバウンドさせる
  }
}

// マウスドラッグで吸引力を発生させる
void mouseDragged() {
  // パーティクルの数だけ繰り返し
  for (int i = 0; i < NUM; i++) {
    PVector mouseLoc = new PVector(mouseX, mouseY);
    particles[i].attract(mouseLoc, 200, 5, 20);
  }
}
```

▼図 7.5：マウスに引き寄せられるパーティクル（画面右から左にドラッグ）

【リスト 7.4 の実行結果】

3 次元空間の表現

ここまでの物体の運動は、ずっと 2 次元の平面上で計算してきました。実は、この法則はすぐに 3 次元空間に拡張できます。Processing では 2 次元の平面だけでなく 3 次元空間でも同じ方法で描画できます。

描画モードの変更

では、現在のプログラムを 3 次元空間に拡張してみましょう。まず、Part2 の第 4 章で説明した描画モード（P70）を再掲します（**表 8.1**）

▼表 8.1：描画モード（再掲）

モード	特徴
デフォルト（何も指定しない）	描画は遅いが、最も正確に 2 次元の図形を描画する
P2D	OpenGL を使用。高速な 2 次元の描画に適している
P3D	OpenGL を使用。高速な 3 次元の描画に適している
PDF	PDF で出力する

これまでは、デフォルトもしくは P2D モードでの描画のみ使用してきましたが、いよいよ 3 次元空間で描画するので P3D モードを使用します。具体的には size() の 3 番目の引数を次のように変更します。

```
size(800, 600, P2D);
  ↓            ↓
size(800, 600, P3D);
```

これによって、扱う座標は（x, y）という 2 次元の座標から（x, y, z）の 3 次元へと拡張されます。Z 軸は、X 軸と Y 軸による平面から垂直に伸びる、奥行を表現する座標と考えます（**図 8.1**）。

▼図 8.1：2D 座標と 3D 座標

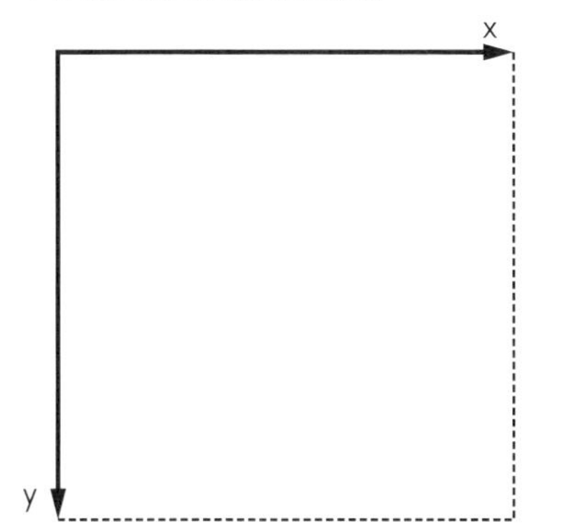

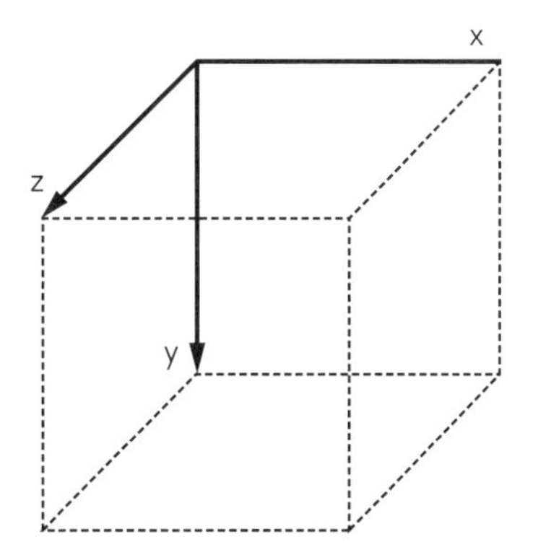

3 次元空間に拡張した ParticleVec3 クラス

PVector は、これまでは 2 次元の平面でのベクトルを対象としてきました。しかし、PVector はそのまま 3 次元空間に拡張できます。これまでは、初期化の際に x と y の 2 つの引数を指定していましたが、ここに 3 つ目の z が加わります。

```
PVector 2dVect = new PVector(10, 20);     // 2次元のベクトルの初期化
PVector 3dVect = new PVector(10, 20, 30); // 3次元のベクトルの初期化
```

ベクトルの加算、減算、内積などの演算は、次元が増えても書式に変更はありません。それでは、2 次元から 3 次元へプログラムを一気に更新していきましょう。まずは、ParticleVec2 クラスを 3 次元に拡張した ParticleVec3 クラス（**リスト 8.1**）を作成します。さらにパーティクルをマウスドラッグで動かすコードを追加します（**リスト 8.2**）。これで、Part3 の完成イメージのプログラムになりました！

▼リスト 8.1：ParticleVec3 クラス

```
// 物体の運動を計算（運動方程式）
class ParticleVec3 {
  PVector location;     // 位置
  PVector velocity;     // 速度
  PVector acceleration; // 加速度
  PVector gravity;      // 重力
  float mass;           // 質量
  float friction;       // 摩擦力
  PVector min;          // 稼動範囲（min）
  PVector max;          // 稼動範囲（max）
  float radius;         // パーティクル半径
  float G;              // 重力定数
```

（次ページへ続く）

```
// コンストラクタ
ParticleVec3() {
  radius = 4.0;
  mass = 1.0;     // 質量は1.0に設定する
  friction = 0.0; // 摩擦力を0.01に設定する
  G = 1.0;        // 重力定数を1.0にする
  // 位置、速度、加速度を初期化する
  location = new PVector(0.0, 0.0, 0.0);
  velocity = new PVector(0.0, 0.0, 0.0);
  acceleration = new PVector(0.0, 0.0, 0.0);
  // 重力なし
  gravity = new PVector(0.0, 0.0, 0.0);
  // 稼動範囲を設定する
  min = new PVector(0, 0, 0);
  max = new PVector(width, height, height/2);
}

// 運動方程式から位置を更新
void update() {
  acceleration.add(gravity);     // 重力を加える
  velocity.add(acceleration);    // 加速度から速度を算出する
  velocity.mult(1.0 - friction); // 摩擦力から速度を変化させる
  location.add(velocity);        // 速度から位置を算出する
  acceleration.set(0, 0, 0);     // 加速度を0にリセット（等速運動）する
}

// 描画する
void draw() {
  pushMatrix();
  translate(location.x, location.y, location.z);
  ellipse(0, 0, mass * radius * 2, mass * radius * 2);
  popMatrix();
}

// 力を加える
void addForce(PVector force) {
  force.div(mass);          // 力と質量から加速度を算出する
  acceleration.add(force); // 力を加速度に加える
}

// 引力を計算する
void attract(PVector center, float _mass, float min, float max) {
  // 距離を算出する
  float distance = PVector.dist(center, location);
  // 距離を指定した範囲内に納める（極端な値を無視する）
  distance = constrain(distance, min, max);
  // 引力の強さを算出する（F = G(Mm/r^2))
  float strength = G * (mass * _mass) / (distance * distance);
  // 引力の中心点とパーティクル間のベクトルを作成する
```

```
    PVector force = PVector.sub(center, location);
    // ベクトルを正規化する
    force.normalize();
    // ベクトルに力の強さを乗算する
    force.mult(strength);
    // 力を加える
    addForce(force);
  }

  // 壁でバウンドさせる
  void bounceOffWalls() {
    if (location.x > max.x) {
      location.x = max.x;
      velocity.x *= -1;
    }
    if (location.x < min.x) {
      location.x = min.x;
      velocity.x *= -1;
    }
    if (location.y > max.y) {
      location.y = max.y;
      velocity.y *= -1;
    }
    if (location.y < min.y) {
      location.y = min.y;
      velocity.y *= -1;
    }
    if (location.z > max.z) {
      location.z = max.z;
      velocity.z *= -1;
    }
    if (location.z < min.z) {
      location.z = min.z;
      velocity.z *= -1;
    }
  }

  // 壁を突き抜けて反対から出現させる
  void throughWalls() {
    if (location.x < min.x) {
      location.x = max.x;
    }
    if (location.y < min.y) {
      location.y = max.y;
    }
    if (location.z < min.z) {
      location.z = max.z;
    }
    if (location.x > max.x) {
      location.x = min.x;
```

（次ページへ続く）

```
    }
    if (location.y > max.y) {
      location.y = min.y;
    }
    if (location.z > max.z) {
      location.z = min.z;
    }
  }
}
```

▼ リスト 8.2：マウスドラッグでパーティクルを引き寄せる 【実行結果は図 8.2】

```
int NUM = 2000; // パーティクルの数
// パーティクルを格納する配列
ParticleVec3[] particles = new ParticleVec3[NUM];

void setup() {
  size(800, 600, P3D);
  frameRate(60);
  // パーティクルを初期化する
  for (int i = 0; i < NUM; i++) {
    // クラスをインスタンス化する
    particles[i] = new ParticleVec3();
    // 初期位置はランダムな場所にする
    particles[i].location.set(random(width), random(height), random(height/2));
    // 重力を0.0にする
    particles[i].gravity.set(0.0, 0.0, 0.0);
    // 摩擦力を0.01にする
    particles[i].friction = 0.01;
    // 半径を2.0にする
    particles[i].radius = 2.0;
  }
  background(0);
}

void draw() {
  noStroke();
  // 動きをフェードさせる
  fill(0, 31);
  rect(0, 0, width, height);
  fill(255);
  // パーティクルの位置を更新して描画する
  for (int i = 0; i < NUM; i++) {
    particles[i].update();         // 位置を更新する
    particles[i].draw();           // 描画する
    particles[i].bounceOffWalls(); // 壁でバウンドさせる
  }
}

// マウスドラッグで吸引力を発生
```

```
void mouseDragged() {
  // パーティクルの数だけ繰り返し
  for (int i = 0; i < NUM; i++) {
    PVector mouseLoc = new PVector(mouseX, mouseY);
    // 引力を発生させる
    particles[i].attract(mouseLoc, 200, 5, 20);
  }
}
```

▼図 8.2：3D 空間のパーティクルがマウスドラッグで引き寄せられる　【リスト 8.2 の実行結果】

ケーススタディ①：引力と物体

ParticleVec3 クラス（**リスト 8.1**）は、ニュートンの運動方程式の世界でさまざまな動きを表現する汎用的なクラスとして応用できます。以降、いくつかのケーススタディで ParticleVec3 クラスを利用していきます。

リスト 8.3 は、惑星に引きつけられる衛星のように、物体が引力に引き付けられる様子を表現しています。

▼ リスト 8.3：物体に引力を付加する 【実行結果は図 8.3】

```
int ANUM = 20;  // アトラクターの数
int NUM = 2000; // パーティクルの数
// アトラクターを格納する配列
ParticleVec3[] attractors = new ParticleVec3[ANUM];
// パーティクルを格納する配列
ParticleVec3[] particles = new ParticleVec3[NUM];

void setup() {
  size(800, 600, P3D);
  frameRate(60);
  // アトラクターを初期化する
  for (int i = 0; i < ANUM; i++) {
    attractors[i] = new ParticleVec3();
    attractors[i].location.set(random(width), random(height), random(height/2));
    attractors[i].radius = 5.0;
  }
  // パーティクルを初期化する
  for (int i = 0; i < NUM; i++) {
    particles[i] = new ParticleVec3();
    particles[i].location.set(random(width), random(height), random(height/2));
    particles[i].friction = 0.001;
    particles[i].radius = 1.0;
    particles[i].mass = random(2.0);
  }
  background(0);
}

void draw() {
  fill(0, 15);
  rect(0, 0, width, height);
  noStroke();
  // アトラクターの数だけ更新する
  for (int j = 0; j < ANUM; j++) {
    // アトラクターを描画する
    fill(255, 0, 0);
    attractors[j].draw();
    for (int i = 0; i < NUM; i++) {
      // アトラクターの場所への吸引力を設定する
      particles[i].attract(attractors[j].location, 50, 10, 800);
    }
  }
  // パーティクルの位置を更新して描画する
  for (int i = 0; i < NUM; i++) {
    fill(255);
    particles[i].update();
    particles[i].draw();
    particles[i].throughWalls();
  }
}
```

▼図 8.3：引力に引き寄せられるパーティクル（P16 参照）

【リスト 8.3 の実行結果】

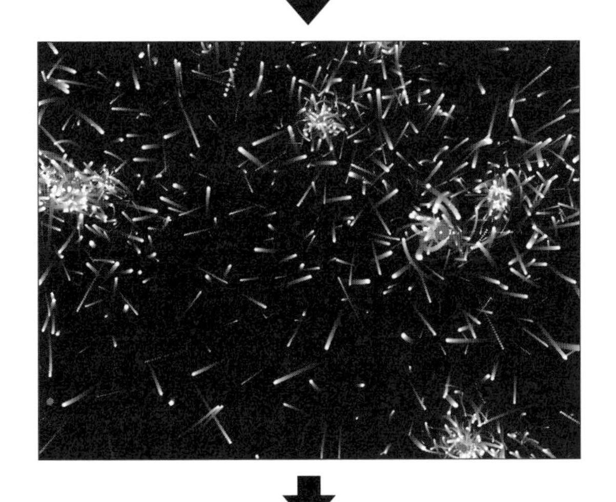

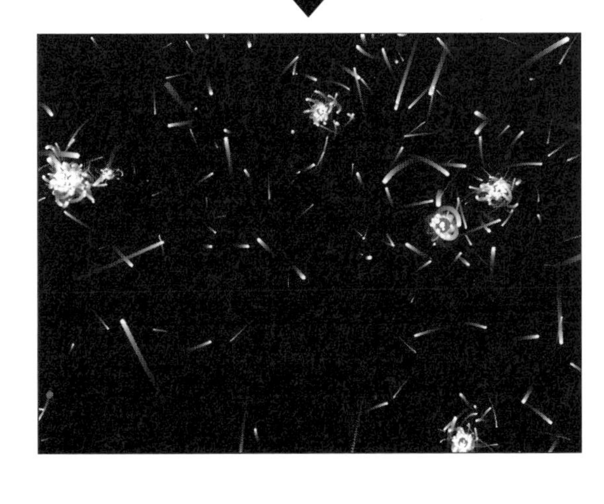

 ケーススタディ②：万有引力

万有引力については attract() 関数の説明内で解説しました（P118）。ここでは万有引力をすべてのパーティクルに適用してみます。

それでは、3次元空間に配置したすべてのパーティクルの質量に応じて、自分に物体を引き付ける引力を発生させたらどうなるでしょうか？ 実際にコーディングして実験してみましょう（**リスト 8.4**）。無秩序に空間に配置されたパーティクルが、お互いに引き付け合って、徐々に秩序が生まれます。まるで、宇宙空間で銀河の発生を見ているかのようです。

▼リスト 8.4：万有引力を付加する　　【実行結果は図 8.4】

```
int NUM = 1000; // パーティクルの数
// パーティクルを格納する配列
ParticleVec3[] particles = new ParticleVec3[NUM];

void setup() {
  size(800, 600, P3D);
  frameRate(60);
  // パーティクルを初期化する
  for (int i = 0; i < NUM; i++) {
    // クラスをインスタンス化する
    particles[i] = new ParticleVec3();
    // 初期位置はランダムにする
    particles[i].location.set(random(width), random(height), random(height/2));
    particles[i].mass = random(1, 2);
    particles[i].radius = 0.5;
    particles[i].friction = 0.02;
  }
  noStroke();
  background(0);
}

void draw() {
  fill(0, 15);
  rect(0, 0, width, height);
  fill(255);
  // パーティクル同士の引き付けあう力を計算する
  for (int i = 0; i < NUM; i++) {
    for (int j = 0; j < i; j++) {
      // パーティクル同士の距離と質量から引力を計算する
      particles[i].attract(particles[j].location, particles[j].mass, 2.0, 800.0);
    }
    particles[i].update();
    // 壁を突き抜けたら反対になる
    particles[i].throughWalls();
    particles[i].draw();
  }
}
```

▼図 8.4：万有引力（パーティクルがお互いを引き付け合う）　　【リスト 8.4 の実行結果】

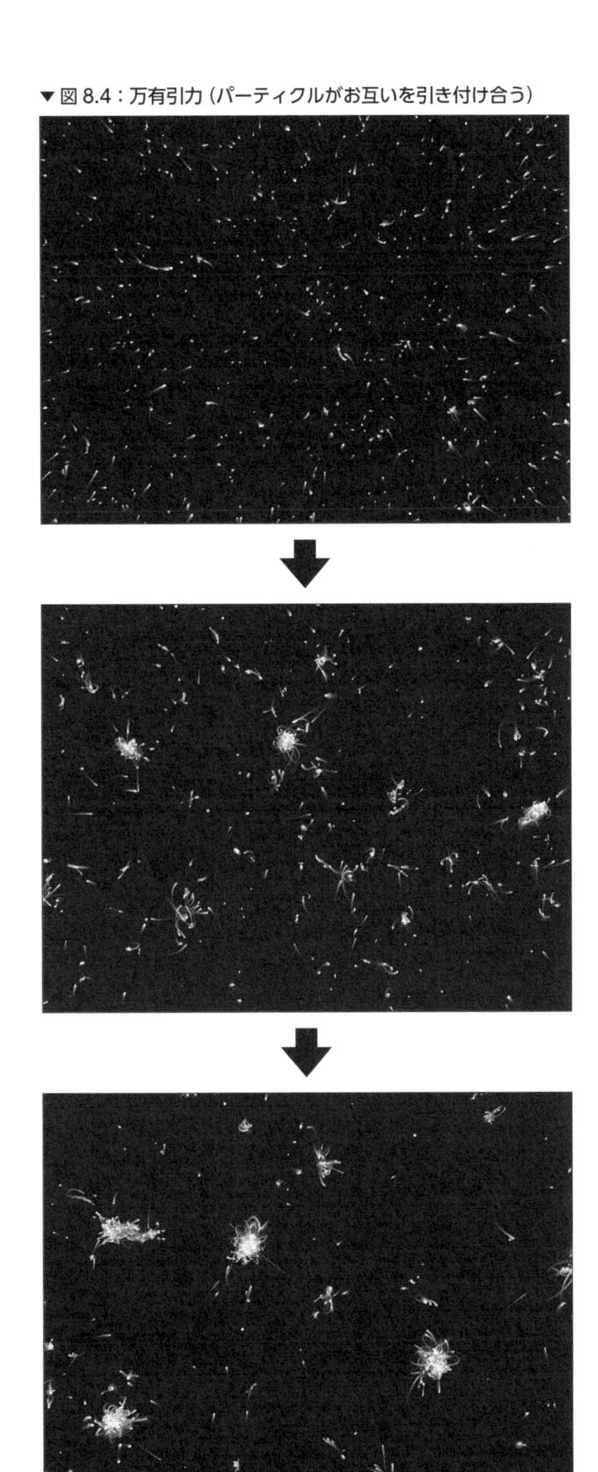

 ケーススタディ③：ノイズドローイング

今度は、ひとつひとつのパーティクルをペンに見立てて、動きの軌跡によって生成される形態を楽しんでみましょう。

パーリンノイズ

ケーススタディ③では、形態を生成するためのしかけとして「パーリンノイズ（Perlin Noise）」を使用しています。パーリンノイズは、Ken Perlin によって考案されたノイズを生成するアルゴリズムで、乱数による完全なノイズ（ホワイトノイズ）と違って、ばらつきの滑らかさを簡単に制御できる特徴があります。特にコンピュータグラフィクスの分野で、地形や炎、水、雲などさまざまな自然のゆらぎをシミュレートする際に用いられています。

Processing では、noise() を用いて簡単にパーリンノイズを生成できます。2 次元の空間内のパーリンノイズを生成するには次のように指定します。

```
noise(x * scale, y * scale);
```

（x, y）は、2D の座標です。変数 scale を変化させるとノイズの粗さが変化します。noise() は、0.0〜1.0 の値を出力します。濃淡を力の向きと考えてパーティクルに力を加えます。すると、パーティクルがとても複雑な運動をするようになります。この運動をそのまま描くため、background() で背景を塗らずに軌跡を残していきます。すると、複雑なテクスチャが自動的に生成されるスケッチができあがります。

試しに簡単なプログラムでパーリンノイズを視覚化してみましょう（**リスト 8.5**）。雲や地形などを連想する、ノイズの表現が生成されました。

▼リスト 8.5：パーリンノイズ　【実行結果は図 8.5】

```
void setup() {
  size(800, 600);
  noStroke();
  int step = 5;            // 5×5ピクセルの精度でノイズを計算する
  float noiseScale = 0.02; // パーリンノイズのスケール
  // 2次元のパーリンノイズの生成
  for (int j = 0; j < height; j += step) {
    for (int i = 0; i < width; i += step) {
      float gray = noise(i * noiseScale, j * noiseScale) * 255;
      // ノイズの値をグレースケールにして四角形を描画する
      fill(gray);
      rect(i, j, step, step);
    }
  }
}
```

▼図8.5：ノイズによる表現　　　　【リスト8.5の実行結果】

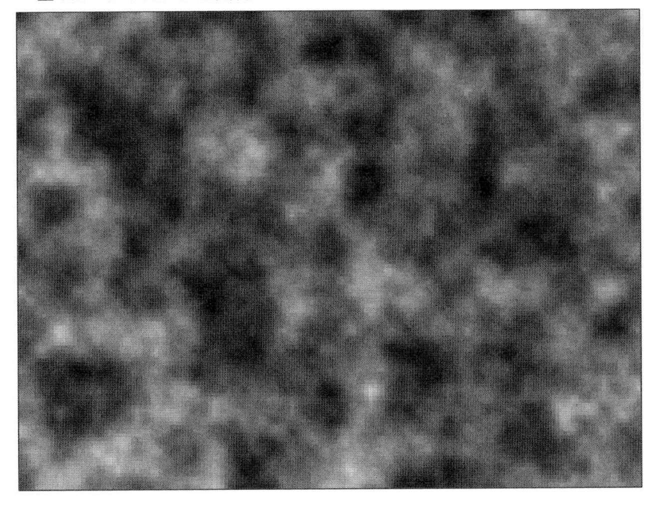

角度に変換したパーリンノイズ

ノイズの濃度を動きのパラメータに活用するにはどうすればよいでしょうか？ 例えば、グレースケールの濃度を角度に変化したらどうなるでしょうか？ 実際にコードで確認してみましょう（**リスト8.6**）。気流の流れのような、ランダムでありながら大きなうねりを感じられるパターンが生成されました。

▼リスト8.6：角度に変換したパーリンノイズ　　　　【実行結果は図8.6】

```
void setup() {
  size(800, 600);
  background(255);
  stroke(1);
  int step = 10;            // 10×10ピクセルの精度でノイズを計算する
  float noiseScale = 0.01; // パーリンノイズのスケール
  // 2次元のパーリンノイズの生成
  for (int j = 0; j < height; j += step) {
    for (int i = 0; i < width; i += step) {
      // ノイズを角度に変換する
      float angle = noise(i * noiseScale, j * noiseScale) * PI * 2.0;
      // 算出した角度で線を描く
      pushMatrix();
      translate(i, j);
      rotate(angle);
      line(-step/2.0, 0, step/2.0, 0);
      popMatrix();
    }
  }
}
```

▼図 8.6：角度によるノイズ表現 【リスト 8.6 の実行結果】

パーリンノイズによるパーティクルの軌跡

リスト 8.6 の角度をそのまま力と解釈し、画面上にランダムに配置したパーティクルに加えてみましょう。また、併せて背景を塗り直すことをせずにすべての軌跡を残すようにしてみます（**リスト 8.7**）。

▼リスト 8.7：パーリンノイズによるパーティクルの軌跡 【実行結果は図 8.7】

```
int NUM = 2000; // パーティクルの数
// パーティクルを格納する配列
ParticleVec3[] particles = new ParticleVec3[NUM];
float noiseScale;
float noiseStrength;

void setup() {
  size(800, 600, P3D);
  frameRate(60);
  noiseScale = 0.01;
  noiseStrength = 0.1;
  // パーティクルを初期化する
  for (int i = 0; i < NUM; i++) {
    // クラスをインスタンス化する
    particles[i] = new ParticleVec3();
    // 初期位置はランダムな場所にする
    particles[i].location.set(random(width), random(height), random(height/2));
    particles[i].min.set(0, 0, 0);
    particles[i].max.set(width, height, width/2);
    particles[i].gravity.set(0.0, 0.0, 0.0); // 重力を0.0にする
    particles[i].friction = 0.1;             // 摩擦力を0.01にする
```

```
    particles[i].radius = 1.0;                // 半径を2.0にする
  }
  background(255);
}

void draw() {
  noStroke();
  // 動きをフェードさせる
  // fill(0, 9);
  // rect(0, 0, width, height);
  fill(0, 3);
  // パーティクルの位置を更新して描画する
  for (int i = 0; i < NUM; i++) {
    // ノイズによる力学場を生成する
    PVector force = new PVector();
    force.x = cos(noise(particles[i].location.x * noiseScale,
      particles[i].location.y * noiseScale,
      particles[i].location.z * noiseScale) * PI * 4.0);
    force.y = sin(noise(particles[i].location.x * noiseScale,
      particles[i].location.y * noiseScale,
      particles[i].location.z * noiseScale) * PI * 4.0);
    force.mult(noiseStrength);
    particles[i].addForce(force); // 生成した力をパーティクルに加える
    particles[i].update();        // 位置を更新する
    particles[i].draw();          // 描画する
    particles[i].throughWalls();  // 壁で突き抜けて反対側になる
  }
}

// マウスクリックでノイズと位置を初期化する
void mousePressed() {
  noiseSeed(round(random(1000)));
  noiseScale = 0.01;
  for (int i = 0; i < NUM; i++) {
    particles[i].location.set(random(width), random(height), random(height/2));
  }
  background(255);
}
```

▼図 8.7：パーリンノイズによるパーティクルの軌跡の描画 (P10 参照)

【リスト 8.7 の実行結果】

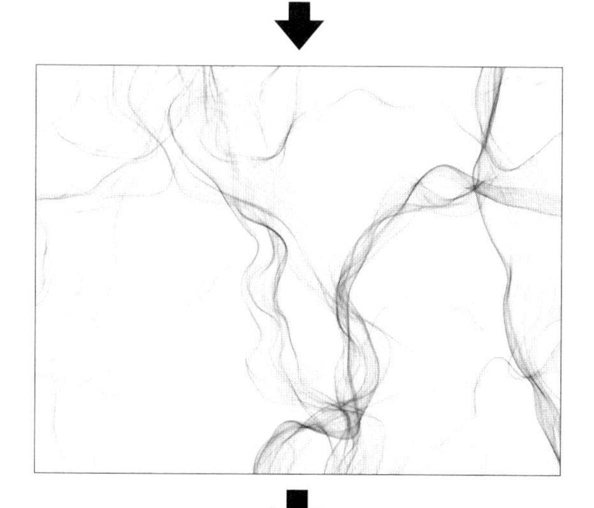

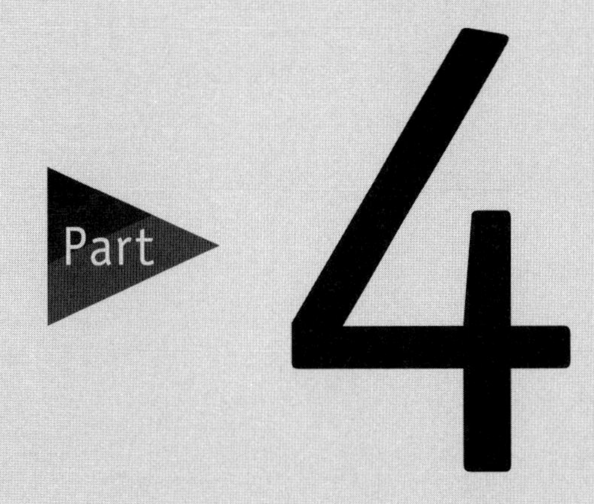

メディア活用編

Processing では、外部のデータをプログラム内に読み込んで活用できます。画像、動画、サウンド、フォント、インターネット上のリソースなど、さまざまなメディアが使用できます。本 Part では、さまざまなメディアをプログラムに取り込み、それを表示、分析、再合成しながら新たな表現を探っていきましょう。

第9章 画像データ

本章では、画像データの活用方法を解説します。画像データは、簡単に読み込んで利用できます。

完成イメージ：膨張する円による描画

まず完成イメージを紹介します。**図 9.1** は画像ファイルを読み込んで、そのデータをもとに新たな画像を円によって再合成しています。

▼図 9.1：膨張する円による描画（P17 参照）

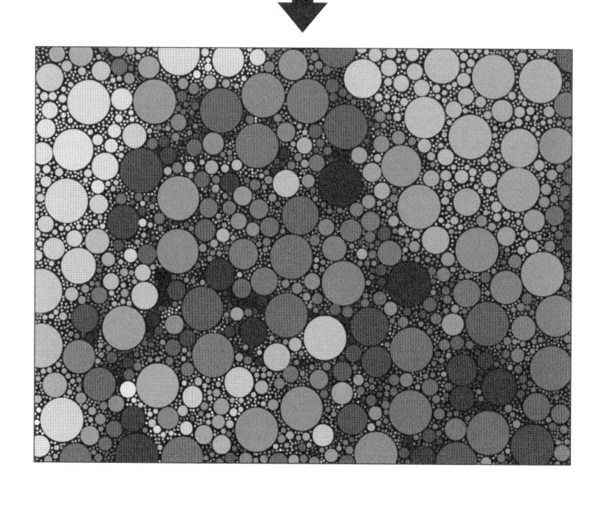

画像ファイルの読み込み

画像を利用したプログラムを実行するには画像ファイルをプログラムに読み込ませなくてはなりません。

まず、読み込みたい画像を準備します。画像の形式は、GIF（.gif）、JPEG（.jpg）、Targa（.tga）、PNG（.png）に対応しています。読み込む画像が決まったら、メニューバーから［スケッチ］→［ファイルを追加 ...］を選択します（**図 9.2**）。

▼図 9.2：画像の読み込み

するとファイル選択のダイアログが表示されるので、使用する画像を選択して Open ボタンを押します。これでプログラムに画像ファイルを読み込む準備ができました。

画像ファイル利用の流れ

完成イメージを目指して、画像ファイルの読み込みと表示の基本から理解していきましょう。手順をまとめると次のようになります。

- 画像ファイルをプログラムに追加する
- PImage のインスタンスを用意する
- PImage のインスタンスに画像を読み込む
- 位置と大きさを指定して画面に表示する

画像ファイルをプログラムに追加

まず、画像ファイルをプログラムに追加する方法ですが、これはすでに解説したようにメニューバーから［スケッチ］→［ファイルを追加］で画像を選択して完了します。実際には Processing のプログラムが入っているフォルダ内にある data フォルダの中に画像ファイルをコピーしています。

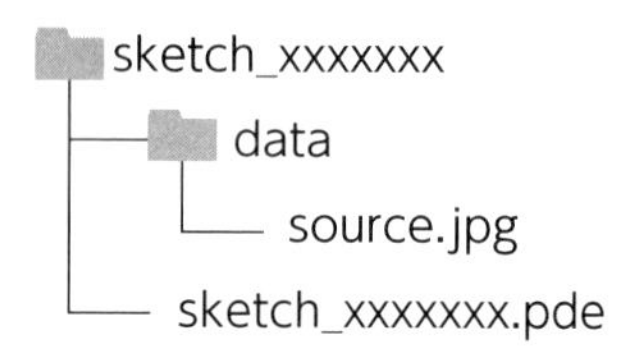

Processing では、画像、動画、フォント、サウンド、テキスト（CSV、XML 形式などのデータ）などプログラムで使用する外部のデータは、スケッチの入っているフォルダ内の data フォルダに格納するというルールになっています。もしさまざまな種類のデータが混在する場合には、data フォルダ内にさらにサブフォルダを作成しても構いません。

画像ファイルの読み込み

次に、画像ファイルを読み込んで表示してみます。まず、PImage のインスタンスを作成します。PImage は、Processing で画像を扱うためのデータ型で、画像の読み込みと表示だけでなくさまざまな機能を内包しています。次の例は、img が PImage 型の変数のような扱いになります。

```
PImage img;
```

次に img に画像のデータを読み込みます。画像の読み込みは setup() 内で行ってください。draw() 内で行うとプログラムが急激に重くなります。なぜなら、画像ファイルのデータをプログラム内のメモリに読み込む処理は大きな負荷になり、1 秒間に何回も繰り返すとプログラムの処理が追いつかなくなってしまうからです。

```
PImage img;

void setup() {
  size(800, 600);
  img = loadImage("source.jpg"); // 画像ファイルを読み込む
}
```

loadImage() の引数に画像ファイル名を指定することで画像が読み込まれます。画像ファイル名は読み込んだ画像ファイルに合わせて変更してください。この結果を先ほど準備した PImage 型の変数 img に代入すると、img に画像データが格納されます。

画像ファイルの表示

最後に img に読み込んだ画像を表示します（**リスト 9.1**）。

▼ リスト 9.1：画像ファイルの読み込みと表示

```
PImage img;

void setup() {
  size(800, 600);
  img = loadImage("source.jpg"); // 画像ファイルを読み込む
}

void draw() {
  background(0);
  // (0, 0) の位置に画面の幅と高さで画像を表示する
  image(img, 0, 0, width, height);
}
```

画像の表示には、image() を使います。第 1 引数に PImage の変数、第 2 と第 3 引数には表示する画像の左上の位置の X 座標と Y 座標、第 3 と第 4 引数には幅と高さをピクセルで指定します。第 3 と第 4 の引数を省略すると、ソースの画像と同じ幅と高さが指定されます。

```
image(img, x, y);
image(img, x, y, width, height);
```

これで、読み込んだ画像を画面全体に表示するプログラムが完成しました。

画像の明るさを変更

読み込んだ画像は、そのままで表示するだけでなく、tint() で明るさや色合い、透明度を変更することもできます。

まずは、画像の明るさを操作してみましょう。tint() に、明るさの数値を指定します。元の明るさは 255 で、例えば半分の明るさにするには 127 を指定します。

```
tint(brightness);
```

tint() を使用して変更した色合いを元に戻したい場合は、noTint() を使用してリセットします。

```
noTint();
```

オリジナルの画像を描画したあとで、右半分に明るさを通常の半分の 127 にして描画してみます（**リスト 9.2**）。左右を比較することで、明るさの変化がわかります。

▼リスト 9.2：画像の明るさを変更　【実行結果は図 9.2】

```
PImage img;

void setup() {
  size(800, 600);
  img = loadImage("source.jpg"); // 画像ファイルを読み込む
}

void draw() {
  background(0);
  tint(127);        // 画像の明るさを127にする
  image(img, 0, 0); // (0, 0) の位置に画像を表示する
  noTint();         // 明るさの変更をリセットする
  // (width/2, 0) の位置に画像を表示する (画面の右半分から)
  image(img, width/2, 0);
}
```

▼図 9.3：画像の明るさを変更 (P19 参照)　【リスト 9.2 の実行結果】

画像の色合いを変更

色合いを変化させるには、tint() に 3 つの数値を指定します。それぞれ、Red、Green、Blue の色の割合になります。この場合も最大値は 255 です。

```
tint(r, g, b);
```

色合いの変化についても左右に画像を並べて比較してみましょう（**リスト 9.3**）。指定した RGB の割合で画像の色彩が変化します。

▼ リスト 9.3：画像の色合いを変更　　【実行結果は図 9.4】

```
PImage img;

void setup() {
  size(800, 600);
  img = loadImage("source.jpg"); // 画像ファイルを読み込む
}

void draw() {
  background(0);
  tint(0, 127, 255); // 画像の色合いを変化させる (r：0、g：127、b：255)
  image(img, 0, 0);  // (0, 0) の位置に画像を表示する
  noTint();          // 明るさの変更をリセットする
  // (width/2, 0) の位置に画像を表示 (画面の右半分から)
  image(img, width/2, 0);
}
```

▼ 図 9.4：画像の色合いを変更（P19 参照）　　【リスト 9.3 の実行結果】

※モノクロ画像だとわかりづらいですが、色合いが変化しています。P19 を参照してください。

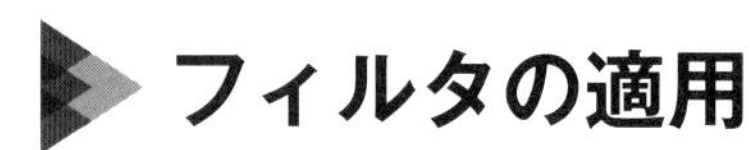

フィルタの適用

色合いの変化だけでなく、Processing には画像にフィルタをかける関数が用意されています。フィルタには filter() を使用します。第 1 引数にフィルタの種類、第 2 引数以降にフィルタのパラメータを指定します。

```
img.filter(フィルタの種類, パラメータ);
```

パラメータの数はフィルタによって異なります。フィルタは全部で 8 種類あります。**表 9.1** に指定するフィルタの名前と効果をまとめます。

▼表 9.1：指定するフィルタ名と効果

フィルタ名	効果
THRESHOLD	画像を 2 値化（白黒に）、パラメータで閾値を設定（0.0～1.0）
GRAY	画像をグレースケールに変更、パラメータなし
OPAQUE	画像のアルファチャンネルを完全な透明に、パラメータなし
INVERT	画像の色相を反転する、パラメータなし
POSTERIZE	RGB それぞれのチャンネルの色数を変更する、パラメータで色の数を指定（2～255）
BLUR	ガウスぼかしをする、パラメータでぼかしの半径を指定
ERODE	明るいエリアを減らす（収縮）、パラメータでレベルを指定
DILATE	明るいエリアを増やす（膨張）、パラメータでレベルを指定

では、フィルタの簡単なサンプルとして、まずは画像に「ガウスぼかし」をかけてみましょう（**リスト 9.4**）。

▼リスト 9.4：ガウスぼかしによるフィルタ　　【実行結果は図 9.5】

```
PImage img;

void setup() {
  size(800, 600);              // 画像ファイルを読み込む
  img = loadImage("source.jpg"); // フィルタ：ガウスぼかし
  img.filter(BLUR, 10);
}

void draw() {
  background(0);
  image(img, 0, 0);    // フィルタを適用した画像を描画する
}
```

▼図 9.5：ガウスぼかし（P18 参照）　【リスト 9.4 の実行結果】

画像ファイルのデータ構造

ここまでは、画像の色合いを変化させたりフィルタをかけたり、全体的な効果を試してきました。ここからは、画像ファイルのデータ内部に入り込み画像のデータ自体を活用していきます。

画像ファイルのデータを取得する前に、画像のデータ構造について整理します。画面で表示される画像は、モニターと同様にピクセル（Pixel）が最小単位です。例えば、4 ピクセル ×3 ピクセルの小さな画像の場合、横に 4 ピクセル、縦に 3 ピクセル、合計 12 個のピクセルがグリッド状に並んでいます（**図 9.6**）。ひとつひとつのピクセルの内部には、RGB それぞれのチャンネルの値が入っています（透明度付きの画像の場合は RGBA）。

▼図 9.6：4 ピクセル× 3 ピクセルの画像

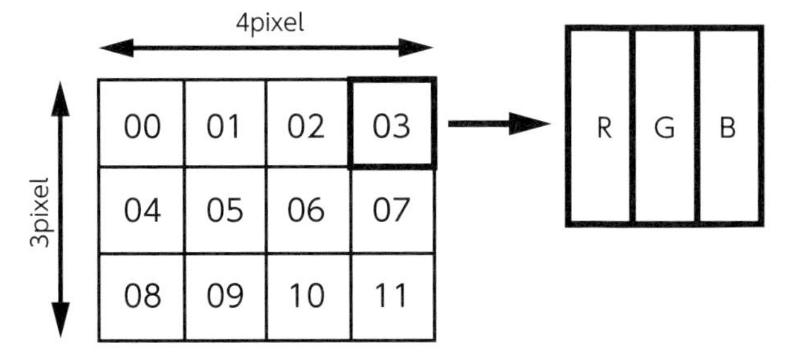

画像データはコンピュータ内部では、ピクセルの集合を行（横の並び）ごとに分割して、横一列の長いデータとして表現されています。このように 2 次元の画像を、まず 1 次元的に横にスキャンしてデータとする方法を「ラスタースキャン」（**図 9.7**）と呼びます。

このデータの列にアクセスすることで、画像のすべてのピクセルに対して指定した場所の RGB の値を取得できるようになります。

▼図 9.7：ラスタースキャン

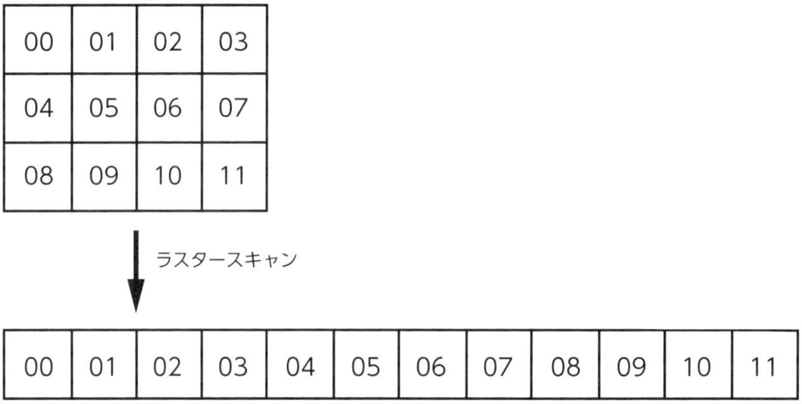

00	01	02	03
04	05	06	07
08	09	10	11

ラスタースキャン

00	01	02	03	04	05	06	07	08	09	10	11

4×3=12pixel

ピクセル情報の取得

では、Processing で画像のピクセル情報にアクセスしてみます。まずは、特定の 1 ピクセルを座標で指定してカラーの情報を取り出してみましょう。

リスト 9.5 は、画像のマウスのポインタ直下の座標の RGB を取得して、そこで取得した色で画面の左上に円を描いています。画像ファイルに対して get(x, y)（❶）で（x, y）の色を color 型の値として受け取ることができます。

▼リスト 9.5：ピクセルの色を取得　【実行結果は図 9.8】

```
PImage img;

void setup() {
  size(800, 600);
  stroke(255);
  img = loadImage("source.jpg"); // 画像ファイルを読み込む
  // 画像をウィンドウの大きさにリサイズする
  img.resize(width, height);
}

void draw() {
  background(0);
  image(img, 0, 0); // 画像を表示する

  // マウスポインタの場所の色を取得する
```

```
  color col = img.get(mouseX, mouseY);
  fill(col);        // 取得した色を塗りつぶしの色に指定して円を描画する
  ellipse(50, 50, 80, 80);

  // マウスの場所を線で表示する
  line(mouseX, 0, mouseX, height);
  line(0, mouseY, width, mouseY);
}
```
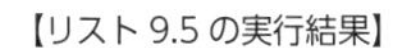❶

▼図9.8：ピクセルの色を取得（P20参照）　【リスト9.5の実行結果】

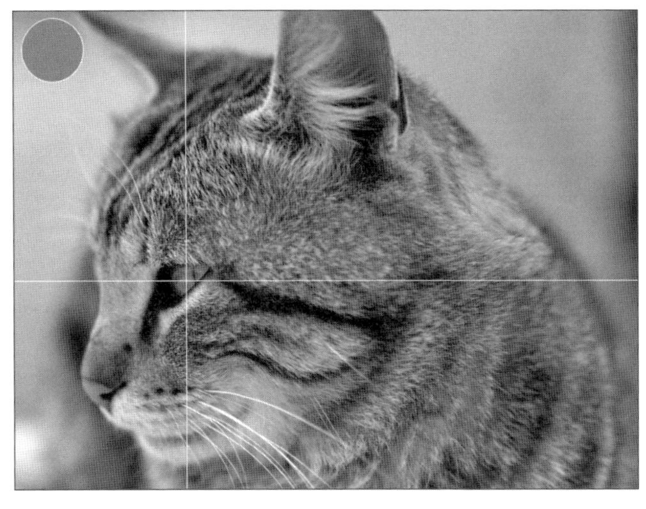

ピクセル情報を取得してモザイク化

get() による画像ファイルの色情報の取得を利用して、さらにいろいろな表現を試してみましょう。**リスト9.6** は、画像全体に対して画像のピクセル情報を一定間隔でピックアップしています。ピックアップする間隔を調整することで画面にモザイクがかかったような効果を生み出しています。

まず❶では、どのくらいの間隔で画像のピクセルを取り出すかを、マウスのX座標で変化させています。ここで使用されている map() は、変化する値のスケールを変更するのに便利な関数です。ある入力の最小値と最大値に対して、指定した最小値と最大値を照らし合わせて変換します。

次の例は、input が 0.0〜1.0 に変化する際に出力を 0.0〜100.0 に変換します。

```
map(input, 0.0, 1.0, 0.0, 100.0);
```

さらに、❶では出力の値をint型で取得する必要があるため、int()で囲んで型を変換しています。

❶で得られた値をstepとして、二重の繰り返し（for文）を作成しています。❸の変数iによるループが各行のピクセルを取得しています。それを、❷の列（縦の並び）だけ繰り返すことで画面全体のピクセル情報を取り出しています。また、両方のfor文の3つ目の引数（再初期化式）に注目してください。それぞれstepずつ加算しています。つまり、一定間隔で間引きながらピクセルを取得しているのです。stepが1のときにはすべてのピクセルを取得します。これによってマウスのX座標の位置によってモザイクの大きさが変化するようになりました。

▼リスト9.6：モザイク化　【実行結果は図9.9】

```
PImage img;

void setup() {
  size(800, 600);
  img = loadImage("source.jpg"); // 画像ファイルを読み込む
  // 画像をウィンドウの大きさにリサイズする
  img.resize(width, height);
}

void draw() {
  background(0);
  noStroke();
  // マウスの位置で何ピクセルずつスキャンするか変化させる
  int step = int(map(mouseX, 0, width, 1, 100)); ――❶
  // 画面の行（i）を列の数（j）だけ画像のピクセルをスキャンする
  for (int j = 0; j < height; j += step) { ――❷
    for (int i = 0; i < width; i += step) { ――❸
      // 指定した場所の色を取得する
      color col = img.get(i, j);
      // 色を指定して四角形を描く
      fill(col);
      rect(i, j, step, step);
    }
  }
}
```

▼図9.9：モザイク化（マウスを移動するとモザイクの大きさが変わる、P20参照）　【リスト9.6の実行結果】

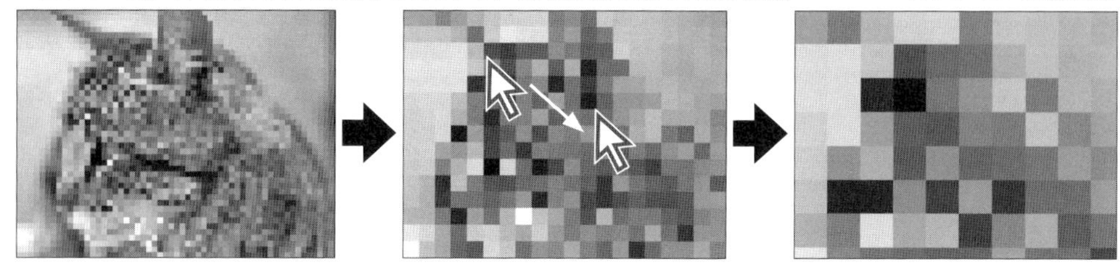

ピクセル情報を取得してグラデーション化

さらに get() を使った別のサンプルを考えてみましょう。**リスト 9.7** は画像の特定の行の色情報だけをピックアップしています。その 1 列分の色を縦に引き伸ばすと美しいグラデーションが生まれます。マウスの Y 座標を変化させることで、取得する行が変化して、グラデーションがなめらかに変化します。

▼ リスト 9.7：画像のピクセル情報をスキャン　【実行結果は図 9.10】

```
PImage img;

void setup() {
  size(800, 600);
  img = loadImage("source.jpg"); // 画像ファイルを読み込む
  // 画像をウィンドウの大きさにリサイズ
  img.resize(width, height);
}

void draw() {
  background(0);
  // 画面の幅だけ繰り返し
  for(int i = 0; i < width; i++){
    color col = img.get(i, mouseY); // マウスのY座標の位置のピクセルを取り出す
    stroke(col);           // 取得した色を線の色にする
    line(i, 0, i, height); // 縦に線を描く
  }
  // 現在のマウスの場所を線で表示する
  stroke(255);
  line(0, mouseY, width, mouseY);
}
```

▼ 図 9.10：画像をスキャン（ピクセル情報によるグラデーション、P21 参照）　【リスト 9.7 の実行結果】

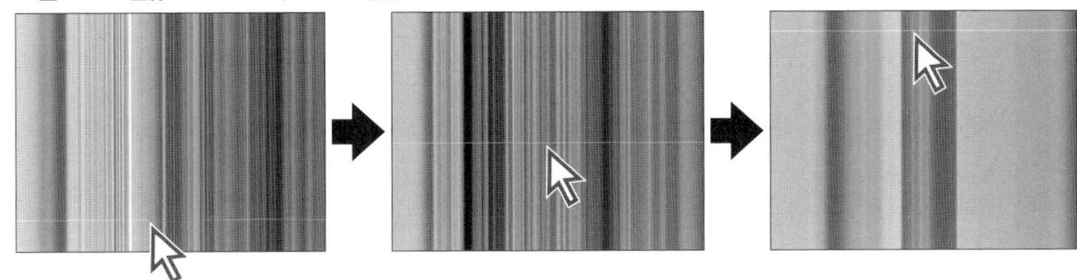

Part1：入門編
Part2：実践編
Part3：応用編
Part4：メディア活用編
Part5：外部ライブラリ活用編

画像の色を取得して描画①

ここまでは、一定間隔で順番に、もしくは特定の行だけを抜きだして順番に、ピクセルの行列を特定の規則にしたがって拾っていました。では、取り出すピクセルの座標をランダムにピックアップしたらどのような表現ができるでしょうか。

試しにランダムに座標を選んで、該当する場所に図形を描いていきましょう。**リスト 9.8** では、描画した図形がずっと残るように背景は setup() で一度だけしか描画しないようにしています。まずは円を重ね描きしてみます。描画する色を半透明にして下の色が透けて見えるようにしてみました。また、円の大きさはピクセルの RGB すべてのチャンネルのレベルを足した全体の明るさによって変化させています。最終的には点描で描いた水彩画のような独特な効果が生まれました。

▼リスト 9.8：画像を円で再生成 【実行結果は図 9.11】

```
PImage img;

void setup() {
  size(800, 600);
  img = loadImage("source.jpg"); // 画像ファイルを読み込む
  // 画像をウィンドウの大きさにリサイズする
  img.resize(width, height);
  background(0);                  // 背景は一度だけ描画する
}

void draw() {
  noStroke();
  // 毎フレーム40個の円を描く
  for(int i = 0; i < 40; i++){
    // 画面からランダムな場所を選択する
    PVector location = new PVector(random(width), random(height));
    // 場所に対応する色を画像から取得して塗りつぶしの色に設定する
    color col = img.get(int(location.x), int(location.y));
    fill(col, 127);
    // 明るさ（RGBの合計）を計算する
    float brightness = red(col) + green(col) + blue(col);
    // 明るさから円のサイズを設定する
    float diameter = map(brightness, 0, 255*3, 0, 20);
    // 設定した大きさで円を描く
    ellipse(location.x, location.y, diameter, diameter);
  }
}
```

▼図 9.11：画像を円で再生成（P12 参照）　　【リスト 9.8 の実行結果】

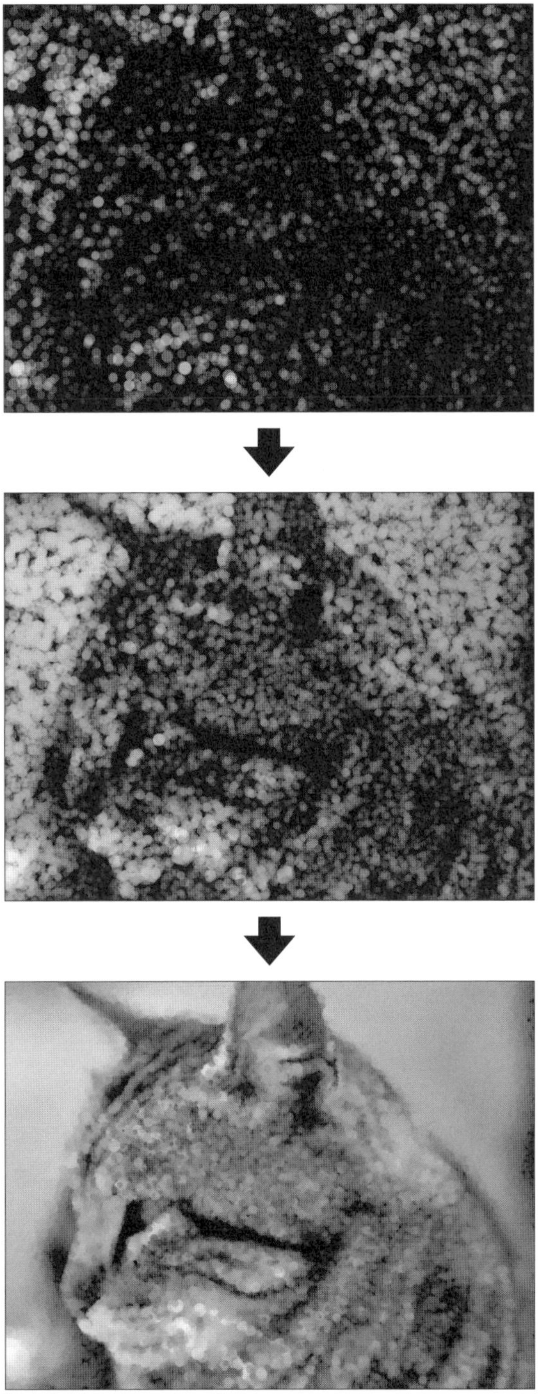

画像の色を取得して描画②

同じようにランダムに図形を重ねていく方法を、別の図形で試してみましょう。**リスト 9.9** は線のように細長い長方形を重ね描きしていきます。ただし今回は明度によって図形の角度も変化させています。まるで、色鉛筆でスケッチしたような繊細なタッチの作品に仕上りました。

▼リスト 9.9：線の角度と長さで再生成　　【実行結果は図 9.12】

```
PImage img;

void setup() {
  size(800, 600);
  img = loadImage("source.jpg");  // 画像ファイルを読み込む
  // 画像をウィンドウの大きさにリサイズ
  img.resize(width, height);
  background(0);                  // 背景は一度だけ描画する
}

void draw() {
  noStroke();
  rectMode(CENTER);
  // 毎フレーム10個の円を描く
  for(int i = 0; i < 150; i++){
    // 画面からランダムな場所を選択する
    PVector location = new PVector(random(width), random(height));
    // 場所に対応する色を画像から取得して塗りつぶしの色にする
    color col = img.get(int(location.x), int(location.y));
    fill(col, 15);
    // 明るさ（RGBの合計）を計算する
    float brightness = red(col) + green(col) + blue(col);
    // 明るさから角度を設定する
    float angle = map(brightness, 0, 255*3, -PI/2.0, PI/2.0);
    // 明るさから四角形の長さを設定する
    float length = map(brightness, 0, 255*3, 0, 40);
    // 設定した角度と長さで四角形を描く
    pushMatrix();
    translate(location.x, location.y);
    rotate(angle);
    rect(0, 0, length, 2);
    popMatrix();
  }
}
```

▼図 9.12：画像を線の長さと角度で再生成（P13 参照）

【リスト 9.10 の実行結果】

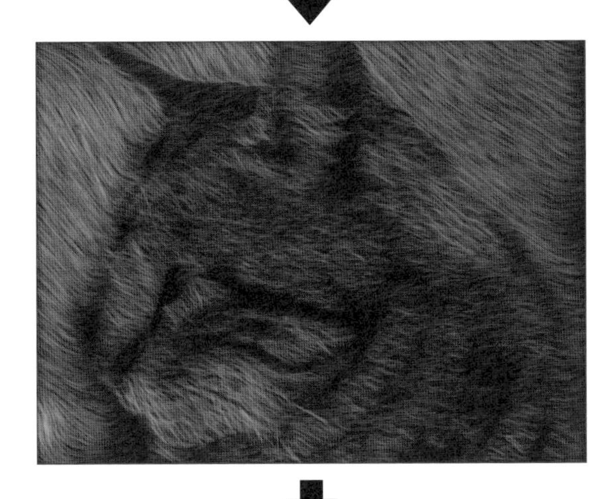

 完成イメージの解析

ここまでで画像データの読み込みと表示、色合いの変更やフィルタ、さらにはピクセルの情報を取り出して活用する方法などさまざまな処理について理解しました。それでは、完成イメージを実現するコード（**リスト 9.10**）を見ながら行われている処理について考えていきましょう。

▼リスト 9.10：膨張する円による描画　【実行結果は図 9.1】

```
ArrayList<Bubble> bubbles; // Bubbleクラスを格納するArrayList
PImage img;                // 色をピックアップするイメージ
int maxSize = 60;          // 円の最大サイズ（直径）

void setup() {
  // 画面初期設定
  size(800, 600);
  frameRate(60);
  noStroke();
  // ArrayListの初期化
  bubbles = new ArrayList<Bubble>();
  // 画像を読み込んで、画面の大きさにリサイズ
  // 画像の名前は読み込んだ画像に変更する
  img = loadImage("source.jpg");
  img.resize(width, height);
  // 最初のきっかけの円を描画する
  for (int i = 0; i < 10; i++) {
    PVector loc = new PVector(random(width), random(height));
    bubbles.add(new Bubble(loc));
  }
}

void draw() {
  background(0);
  // ArrayListに格納された数だけBubbleを描画する
  for (int i = 0; i < bubbles.size(); i++) {
    bubbles.get(i).draw();
  }
  // Bubbleの状態を更新する
  for (int i = 0; i < bubbles.size(); i++) {
    // もしアクティブな状態だったら
    if (bubbles.get(i).isDead == false) {
      // 円の周囲のピクセルの色を確認する
      boolean expand = bubbles.get(i).checkPixel();
      // もしこれ以上膨張できない場合
      if (expand == false) {
        // 新規にBubbleを生成する
        PVector loc;
        // 余白が見つかるまで繰り返し
        while (true) {
          loc = new PVector(random(width), random(height));
```

```
          color c = get(int(loc.x), int(loc.y));
          if ((red(c) + blue(c) + green(c)) == 0) break;
        }
        // 余白に新規Bubbleを生成する
        bubbles.add(new Bubble(loc));
        bubbles.get(i).isDead = true;
      }
    }
  }
}

// マウスクリックで初期化
void mouseClicked() {
  // ArrayListをクリアする
  bubbles.clear();
  // きっかけの円を描画する
  for (int i = 0; i < 100; i++) {
    PVector loc = new PVector(random(width), random(height));
    bubbles.add(new Bubble(loc));
  }
}

// Bubbleクラス
// 円が膨張しながら空間を充填していく
class Bubble {
  float size;        // 円のサイズ（直径）
  float expandSpeed; // 膨張スピード
  color circleColor; // 円の色
  PVector location;  // 中心の位置
  boolean expand;    // 膨張中か否か
  boolean isDead;    // 活動している状態か否か

  // コンストラクタ
  Bubble(PVector _location) {
    location = _location; // 位置を引数から取得
    // パラメータの初期値設定
    size = 0;
    expandSpeed = 4.0;
    expand = true;
    isDead = false;
    // 読み込んだ画像から中心位置と同じピクセルの色を取得する
    circleColor = img.get(int(location.x), int(location.y));
  }

  // 円を描画する
  void draw() {
    // もし膨張中なら
    if (expand == true) {
      // 指定した速度で膨張する
      size += expandSpeed;
```

（次ページへ続く）

Part1：入門編
Part2：実践編
Part3：応用編
Part4：メディア活用編
Part5：外部ライブラリ活用編

```
    }
    // 円を描画する
    fill(circleColor);
    ellipse(location.x, location.y, size, size);
  }

  // 円の周囲のピクセルの色を取得して、膨張する余地があるかを判断する
  boolean checkPixel() {
    // 次のフレームでのサイズを計算する
    float nextSize = size + expandSpeed;
    for (float i = 0; i < TWO_PI; i += 0.01) {
      // 円の周囲の座標を取得する
      int x = int(cos(i) * nextSize / 2.0 + location.x);
      int y = int(sin(i) * nextSize / 2.0 + location.y);
      // 取得した座標の直下のピクセルの色を取得する
      color c = get(x, y);
      // 色が黒以外、もしくは最大サイズを超えていたら膨張を中止する
      if ((red(c) + blue(c) + green(c)) > 0 || size > maxSize) {
        expand = false;
      }
    }
    return expand; // 現在の膨張の状態を返す
  }
}
```

プログラムの構成

まずコードの大きな構成を確認します。setup() と draw() のメインの構造と、マウスイベントの mouseClicked() があります。それに続いて、Bubble というクラスが新規に定義されています。最後の Bubble クラスが膨張する円のひとつひとつにあたります。

```
void setup() {
  ...（中略）...
}
void draw() {
  ...（中略）...
}
void mouseClicked() {
  ...（中略）...
}

class Bubble {
  ...（中略）...
}
```

それでは、コードの詳細に入っていきましょう。

宣言部

冒頭の 1 行目で、ArrayList という新たなデータ構造が出てきています。

```
ArrayList<Bubble> bubbles;
```

ArrayList はここまで扱ってきた配列（Array）に似た機能です。Array を使った場合は次のように 10,000 個の Bubble クラスのインスタンスを格納できる bubbles 配列を指定します。

```
Bubble[] bubbles = new Bubble[10000];
```

では、なぜ Array を使わなかったのでしょうか。ArrayList は、通常の配列と違って要素の数をあとから自由に増やしたり減らしたりできるという利点があります。使用する要素の最大数がわかっている場合は、これまでどおり Array でよいのですが、どのくらい必要になるのか実行してみないとわからない場合があります。実行イメージのサンプル（**リスト 9.10**）の円を膨張して隙間を埋めていった結果、最終的にいくつの円が描かれるのか、実行してみるまではわかりません。ですので、今回は ArrayList を使用しています。

ArrayList は、格納する要素の型を指定して宣言します。宣言した ArrayList 名で、使用する前に初期化する必要があります。

```
ArrayList<Type> name;
name = new ArrayList<Type>();
```

それぞれの要素には、get() を使用してアクセスします。例えば、ArrayList である bubbles の i 番目の要素にアクセスするには次のようにします。

```
bubbles.get(i);
```

要素の追加は add()、現在の要素の数を取得するには size() を使用します。bubbles 配列に新規に Bubble クラスのインスタンスを追加して、要素の数を調べるには次のようにします。

```
bubbles.add(new Bubble() ); // 新規にBubbleクラスのインスタンスを追加
int num = bubbles.size();   // bubblesの要素数を取得
```

要素の削除は remove() を使用します。bubbles の i 番目の要素の削除は次のようにします。

```
bubbles.remove(i);
```

すべての要素を一気に消去するには clear() を使用します。

```
bobbles.clear();
```

setup()

では、setup() の中身を見ていきましょう。

```
void setup() {
  // 画面初期設定
  size(800, 600);
  frameRate(60);
  noStroke();
  // ArrayListの初期化
  bubbles = new ArrayList<Bubble>(); ──────────── ❶
  // 画像を読み込んで、画面の大きさにリサイズする
  // 画像の名前は読み込んだ画像に変更する
  img = loadImage("source.jpg"); ─────┐
  img.resize(width, height); ─────────┴─── ❷
  // 最初のきっかけの円を描画する
  for (int i = 0; i < 10; i++) { ─────┐
    PVector loc = new PVector(random(width), random(height));
    bubbles.add(new Bubble(loc));     ├─── ❸
  } ──────────────────────────────────┘
}
```

画面の初期設定をしたあとに ArrayList の bubble を初期化しています（❶）。次に PImage の変数 img に画像を読み込み、画面の大きさに合わせてリサイズしています（❷）。❸で、最初のきっかけとなる円を指定した数だけ新規に生成して、bubbles 配列に追加しています。ここでは、最初に 10 個の円を生成して、それぞれ ArrayList に追加しています。

draw()

draw() はやや複雑な処理になっています。

```
void draw() {
  background(0);                                                    ❶
  // ArrayListに格納された数だけBubbleを描画する
  for (int i = 0; i < bubbles.size(); i++) {
    bubbles.get(i).draw();
  }
  // Bubbleの状態を更新する
  for (int i = 0; i < bubbles.size(); i++) {                        ❷
    // もしアクティブな状態だったら
    if (bubbles.get(i).isDead == false) {                           ❸
      // 円の周囲のピクセルの色を確認する
      boolean expand = bubbles.get(i).checkPixel();
      // もしこれ以上膨張できない場合
      if (expand == false) {                                        ❹
        // 新規にBubbleを生成する
        PVector loc;
        // 余白が見つかるまで繰り返し
        while (true) {                                              ❺
          loc = new PVector(random(width), random(height));
          color c = get(int(loc.x), int(loc.y));
          if ((red(c) + blue(c) + green(c)) == 0) break;
        }
        // 余白に新規Bubbleを生成する
        bubbles.add(new Bubble(loc));
        bubbles.get(i).isDead = true;                               ❻
      }
    }
  }
}
```

まず、❶で背景を黒に指定して、その上に現在 ArrayList bubbles に格納されているすべての要素を描画しています。❷のブロックは、状態の更新をしています。まず大きな繰り返しとして、bubbles の数だけ処理を繰り返しています。

さらに❸の中で個別の Bubble のインスタンスに対して処理を行います。まず、bubbles が現在活動しているかを isDead プロパティを確認することで判別しています。isDead に関してはのちほど Bubbles クラスの中身を解析するときに見ていきましょう。もし活動状態であったら円の周囲を確認して別の円と接していないか、表現を変えるならまだ余白が残っているかを確認しています。これも、Bubbles クラスの checkPixel() を呼び出しています。もし expand が false だったら、つまり膨張が止まっていたら、新規に Bubble を生成しています（❹）。

ここでポイントとなるのが、すでにBubbleが描かれている場所には新規に生成せず、余白の黒い部分だけを選択している処理です。この判定に、画像のピクセルの情報を使用しています。この処理はwhile文（❺）の中に書かれています。while文は、ループから抜けだす命令（break）がないかぎり無限にループし続けるブロックです。while文（❺）の中で、ランダムな場所を生成し、該当場所の色をget()で調べています。取得した色が黒かどうかは、RGBすべてのチャンネルの値の合計が0かどうかで判定できます。もし黒ならbreakで無限ループから抜け出します。

余白の場所が決定できたら、新規にBubbleのインスタンスを生成しています。新規にBubbleを生成し終わった要素は、isDeadをtrueにして活動を終えるようにします（❻）。

mouseClicked()

mouseClicked()はマウスボタンを押して、離した瞬間に呼び出されます。

```
void mouseClicked() {
  // ArrayListをクリアする
  bubbles.clear(); ──────────────────── ❶
  // きっかけの円を描画する
  for (int i = 0; i < 10; i++) { ─────┐
    PVector loc = new PVector(random(width), random(height));  ├── ❷
    bubbles.add(new Bubble(loc));          │
  } ────────────────────────────────┘
}
```

まずArrayListであるbubblesのすべての要素を消去しています（❶）。そのあとで、きっかけの円を再度10個生成しています（❷）。

Bubbleクラス

Bubblesクラスは、6つのプロパティ（**表9.2**）と、3つのメソッド（**表9.3**）によって構成されています。

▼表9.2：Bubblesクラスのプロパティ

型と名前	内容
float size	円のサイズ
float expandSpeed	膨張スピード
color circleColor	円の色
PVector location	円の中心の位置
boolean expand	膨張中か否か
boolean isDead	活動している状態か否か

▼表 9.3：Bubbles クラスのメソッド

戻り値と名前	引数	内容
Bubble	PVector _location（位置）	コンストラクタ、引数で受け取った位置に Bubble を初期化する
void draw	なし	サイズを更新して円を描画する
boolean checkPixel()	なし	円の周囲のピクセルの色を取得して余白があるかどうかを判定する

では、それぞれのメソッドの処理の内容を見てみましょう。

コンストラクタ

まずはコンストラクタ部分です。

```
// コンストラクタ
Bubble(PVector _location) {
  location = _location; // 位置を引数から取得する
  // パラメータの初期値設定
  size = 0;
  expandSpeed = 4.0;
  expand = true;
  isDead = false;
  // 読み込んだ画像から中心位置と同じピクセルの色を取得する
  circleColor = img.get(int(location.x), int(location.y));
}
```

引数から受け取った描画する円の位置（_location）を全体のプロパティlocation に代入しています。あとは、円のサイズ（size）、膨張スピード（expandSpeed）、膨張しているか否か（expand）、活動しているか否か（isDead）のそれぞれの値を初期化しています。最後に円の色を決定しています。色は描画する円の中心位置にある読み込んだ画像のピクセルの色の値を get() で取得して、円の色（circleColor）に代入しています。

draw()

次に draw() の内容を見てみましょう。

```
void draw() {
  // もし膨張中なら
  if (expand == ture) {
    // 指定した速度で膨張する
    size += expandSpeed;
  }
  // 円を描画する
  fill(circleColor);
```

（次ページへ続く）

```
  ellipse(location.x, location.y, size, size);
}
```

あまり複雑なことはしていません。現在膨張しているか否かを保持している expand を確認して、もし膨張中（true）ならサイズを更新しています。あとは、色を circleColor に設定して指定した位置に円を描画しています。

checkPixel()

最後の checkPixel() は現在の円の周囲に余白があるかどうかを判定しています。実際にどう判定しているか見ていきましょう。

```
boolean checkPixel() {
  // 次のフレームでのサイズを計算する
  float nextSize = size + expandSpeed;                          ❶
  for (float i = 0; i < TWO_PI; i += 0.01) {                    ❷
    // 円の周囲の座標を取得する
    int x = int(cos(i) * nextSize / 2.0 + location.x);          ❸
    int y = int(sin(i) * nextSize / 2.0 + location.y);
    // 取得した座標の直下のピクセルの色を取得する
    color c = get(x, y);                                        ❹
    // 色が黒以外、もしくは最大サイズを超えていたら膨張を中止する
    if ((red(c) + blue(c) + green(c)) > 0 || size > maxSize) {  ❺
      expand = false;
    }
  }
  // 現在の膨張の状態を返す
  return expand;
}
```

まず、次のフレームでの円のサイズを算出して nextSize という変数に格納しています（❶）。次の for 文（❷）から自分の周囲のピクセルの状態を探る内容になります。for は、0.0〜TWO_PI（＝π ＊ 2）の範囲で繰り返されています。この値は角度を意味しています。ループで少しずつ角度を変化させながら、一定距離の先のピクセルを取り出しています。円の半径と角度から円周上の座標を算出するには三角関数を使います。**図 9.13** で考えるとわかりやすいでしょう。

▼図 9.13：三角関数と円

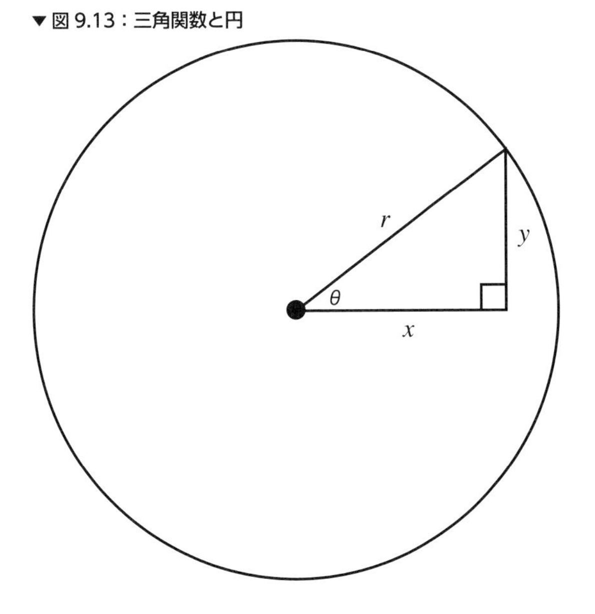

つまり、円周の座標は、X 座標、Y 座標それぞれ次のように求められます。

```
x = cos(ラジアン角) * 半径;
y = sin(ラジアン角) * 半径;
```

その計算をしているのが❸です。座標が確定したら、画面上で対応する座標の色を取得しています（❹）。そして❺で、色が黒でないかを判別して、結果によって膨張するかどうかを決める変数 expand の値を更新しています。

結果を戻り値として完了です。少し複雑でしたが、これですべての内容が解析できました！ 読み込む画像を変えてみたり、円の直径の最大値を変えるだけで、生成される画像はさまざまに変化します。ぜひ、いろいろ試してみてください。

第10章 ライブラリ

画像データに続いて動画とサウンドについて取り上げますが、動画とサウンドはProcessingに拡張機能を導入しないと使用できません。ですので、本章ではProcessingに機能を追加するライブラリと追加方法について説明します。

ライブラリ（Libraries）とは

画像データに続いて、動画／サウンドなどさまざまなデータをProcessingで扱っていきます。画像データはPImageを使用して外部の画像ファイルを読み込むことができました。ところが、動画やサウンドなどに関しては、そのままでは使用できません。

Processingの設計思想は、構造をあまり複雑にせず創造的な部分に集中できるようになっています。グラフィクスと動きを作り、マウスやキーボードといった汎用的な入力デバイスに反応する機能が基本です。しかし、Processingでは、それ以上のことを行うためにライブラリ（Libraries）が用意されています。

ライブラリとは、汎用性の高い複数のプログラムを再利用できる形でひとまとまりにしたものです。Processingでも用途に応じてさまざまなライブラリがまとめられ、入手できるようになっています。

Processingのライブラリには大きく分けて2種類あります。「Core Libraries」と「Contributed Libraries」です。Core Librariesは、Processingの開発元からオフィシャルに提供されているライブラリで、Processingのソフトウェアに付属しています。Contributed Librariesは、Processingのユーザ達によって公開されている非公式のライブラリで、別途ダウンロードが必要です。

Core Librariesは**表10.1**に挙げるライブラリから構成されています。まずは、ライブラリのインストールから始めましょう。

▼表10.1：Core Librariesを構成するライブラリ

ライブラリ	説明
PDF Export	PDF形式で出力する
Serial	Processingと外部のハードウェアをシリアル通信する
Video	動画ファイルの再生、動画ファイルの作成、カメラからのビデオ入力のキャプチャをする
Network	インターネットを通してクライアントとサーバ間で通信を行う
DXF Export	DXFフォーマット（三次元の形状データ）を出力する
Sound	音の再生、録音、サウンドの生成、エフェクトを行う
Hardware I/O	Raspberry Piなどの外部機器にアクセスする

ライブラリのインストール

Processing のライブラリは、Contribution Manager を使用してインストールします。メニューバーから［スケッチ］→［ライブラリをインポート］→［ライブラリを追加］を選択して［Contribution Manager］を起動します（**図 10.1**）。

▼図 10.1：ライブラリの追加

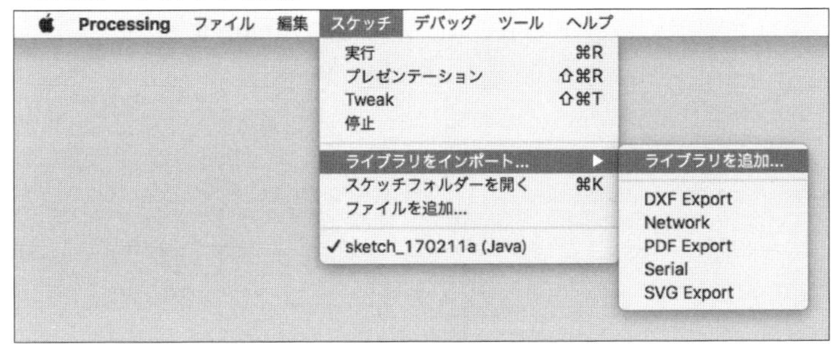

Contribution Manager（**図 10.2**）の上部のタブから［Libralies］を選択します。

まずはじめに Sound ライブラリをインストールしてみましょう。Contribution Manager の左上の入力欄に「Sound」と入力して検索して表示されるリストの中から「Sound | Sound library for Processing.」を選択します。すると、画面下部に Sound ライブラリの説明と［Install］ボタンが表示されるのでクリックします。

▼図 10.2：Contribution Manager（Sound ライブラリの検索）

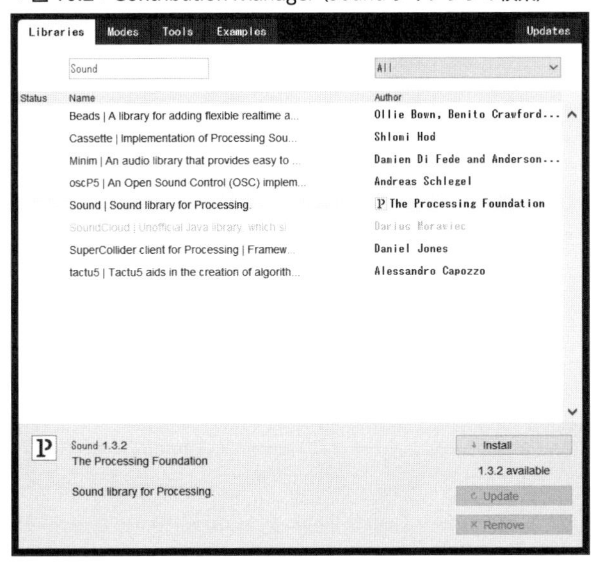

同様に Video ライブラリもインストールしましょう。「Video」で検索して「Video | GStreamer-based video library for Processing」を選択して [Install] ボタンを押します（**図 10.3**）。

▼ 図 10.3：Contribution Manager（Video ライブラリの検索）

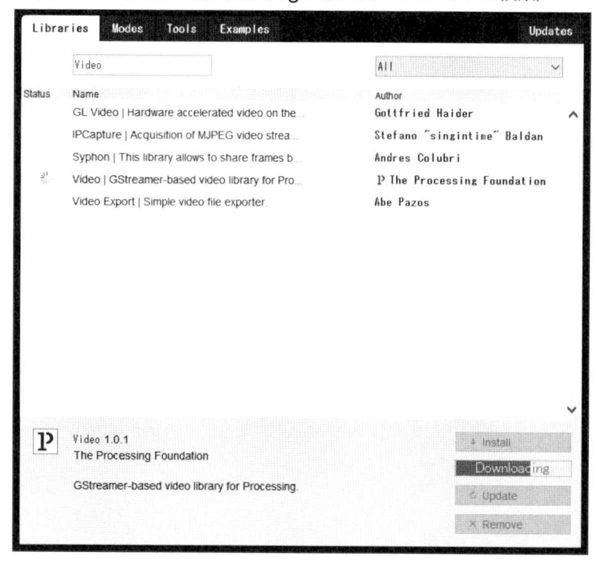

ライブラリがインストールされると、Contribution Manager の該当するライブラリの名前の先頭にチェックマークが付きます。また、メニューから [スケッチ] → [ライブラリをインポート] を選択すると、インストールしたライブラリの一覧が表示されます。上の欄に Core libraries、下の欄に Contributed Libraries と分類されてリストされます（**図 10.4**）。

▼ 図 10.4 ライブラリの一覧表示

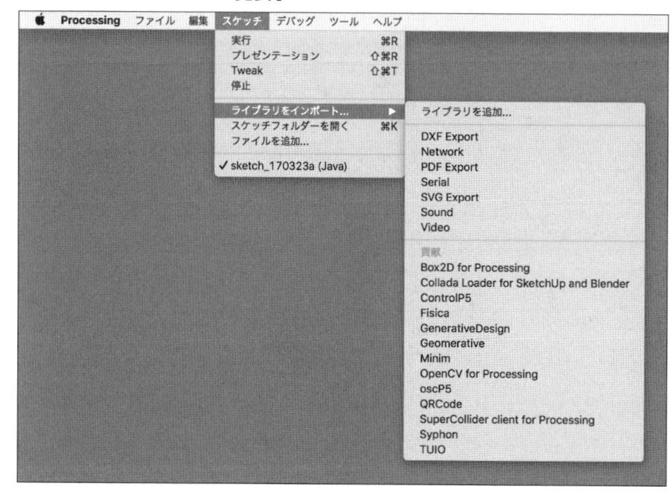

第11章 ビデオとサウンドデータ

前章でビデオとサウンドライブラリの準備ができました。本章では、それぞれのライブラリの使い方のほかに、音響解析のしくみや方法などを説明します。

完成イメージ：オーディオ・リアクティブ・ビデオ

さっそく、サウンドとビデオライブラリ双方を組み合わせた完成イメージ（**図 11.1**）を見てみましょう。実行するには、カメラ（内蔵カメラ、USB カメラなど）からの入力と、サウンド入力（マイク、ライン入力など）が有効になっている必要があります。カメラでキャプチャした映像が画面に映し出され、さらに入力した音によって歪んでいきます。映像の歪み方は、音量や周波数の高低によってさまざまに変化します。

Video ライブラリを用いたカメラからの入力のキャプチャと、Sound ライブラリによるオーディオ入力と音響解析（FFT）が用いられています。それぞれのライブラリの基本から応用まで順番に理解していきましょう。Video ライブラリ、Sound ライブラリの順に紹介します。

▼図 11.1：オーディオ・リアクティブ・ビデオ（P22 参照）

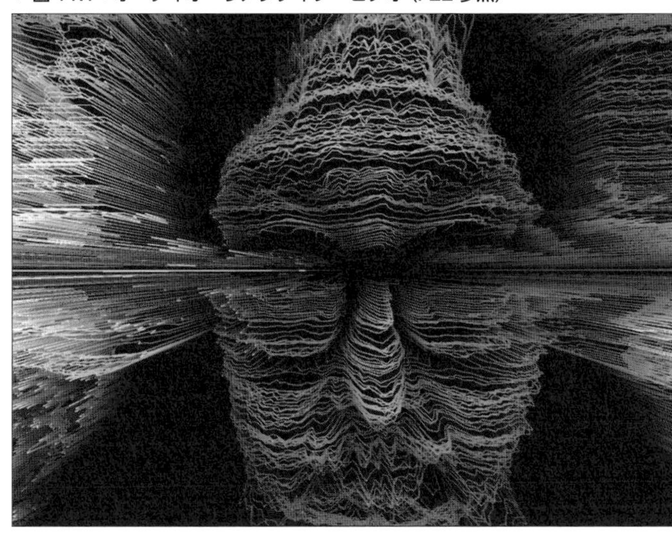

ビデオライブラリ

Videoライブラリの構成

Videoライブラリは、大きく分けて2つの機能から構成されています。動画ファイル（mov, mp4など）を読み込んで再生する動画プレイヤとしての機能、そしてカメラ（内蔵カメラ、USBカメラ）からの映像をキャプチャする機能です。それぞれの機能が、Movie、Captureという2つのクラスを通して使用できるようになっています。ライブラリの構成をまとめると、次のようになります。

- 動画ファイルの再生
  Movie：動画プレイヤ
- カメラからの入力
  Capture：カメラからの入力をキャプチャ
- イベント
  captureEvent()：カメラから新たなフレームが入力された際に実行する
  movieEvent()：ムービーのフレームが更新された際に実行する

動画の再生

それでは、まず動画のデータを扱う基本的なところから始めていきましょう。動画の取り扱いは画像の場合とよく似ています。dataフォルダ内に格納した動画ファイル（mov、mp4など）をプログラムで読み込んで再生します。ファイルをdataフォルダ内に格納する方法も静止画の場合と同じです。メニューバーの［スケッチ］→［ファイルを追加］で追加する動画ファイルを選択します（**図11.2**）。

▼図11.2：動画ファイルの追加

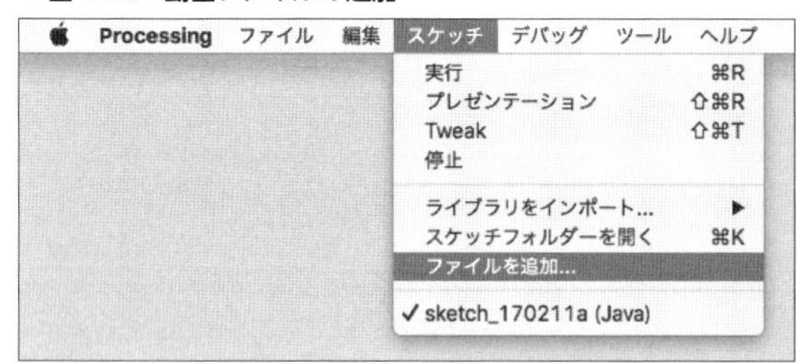

リスト11.1が動画ファイルを再生するコードです。選択した動画ファイルの名前に合わせて、**リスト11.1**❶のファイル名（movie.mov）の部分は書き換えてください。実行すると、読み込んだ動画ファイルが再生されます（**図11.3**）。画面上でマウスをクリックすると一時停止し、もう一度クリックすると再生を再開します。また画面の下部にはムービー全体に対してどこまでを

再生したのかを示す赤いバーが表示されています。

▼ リスト 11.1：動画ファイルの再生　【実行結果は図 11.3】

```
import processing.video.*; // ビデオライブラリのインポート
Movie movie;               // ムービープレイヤの宣言
boolean playing;           // ムービーを再生しているか否か

void setup() {
  size(853, 480); // 画面初期設定
  frameRate(60);
  background(0);
  noStroke();
  // 再生するムービーを読み込む（読み込んだファイル名に変更）
  movie = new Movie(this, "movie.mov"); ———————————— ❶
  movie.loop();   // ループ再生をONにする ———————————— ❷
  playing = true; // ムービーの再生状態をTrueにする
}

void draw() {
  image(movie, 0, 0, width, height); // ムービーを画面に描画する
  // 現在どこまで再生されたかを表示する。再生された割合は0.0〜1.0
  float percent = movie.time() / movie.duration();
  // 再生された割合からバーの長さを計算する
  float length = map(percent, 0.0, 1.0, 0.0, width);
  fill(255, 0, 0);                  // バーを表示する
  rect(0, height-4, length, 4);
}

// ムービーのフレームが更新されたらイベントを実行する
void movieEvent(Movie m) { ——————————┐
  m.read(); // 現在のフレームを読み込む     ├—— ❸
} ————————————————————————————————————┘

// マウスクリックで再生をON/OFFにする
void mouseReleased() {
  if (playing == true) {
    // もし再生状態なら一時停止する
    movie.pause();
    playing = false;
  } else {
    // 再生状態でなければ再生する
    movie.play();
    playing = true;
  }
}
```

▼図 11.3：動画ファイルの再生　【リスト 11.1 の実行結果】

©copyright 2008、Blender Foundation / www.bigbuckbunny.org

Movie を使った動画の再生は、画像ファイルの表示に似ていますが、いくつか異なる部分もあります。違いの部分に注意しながら使い方を見ていきましょう。

まず、ムービーの読み込みは、Movie クラスのインスタンス化（初期化）の際に同時にファイル名を指定して読み込みます（❶）。

読み込んだムービーを再生するためにメソッドを実行します（❷）。普通に再生するには play()、ループ再生するには loop() を実行します。

```
movie.play(); // 1回だけ再生
movie.loop(); // ループ再生
```

ムービーを描画する際には、少し注意が必要です。ムービーは静止画と違って一定の間隔で画像が更新されます。しかし、スピードは動画によって違います。例えば、フィルム映画は 24fps（1 秒間に 24 コマ）、TV やビデオの場合は 30fps、ハイビジョンの場合は約 60fps です。それらの動画ファイルに対して、表示して再生する Processing 側の fps が同じであるとは限りません。そのため、Video ライブラリの Movie クラスは、動画の更新を draw() による画面の更新とは別に movieEvent() というイベントを使用して検知するしくみになっています。movieEvent() は、読み込んだムービーファイルのフレームが更新されるたびに呼び出され、内部に書かれた処理を実行します。

例えば、ムービーのフレームが更新されるたびに、フレームの画像を読み込むには❸のように read() を使用します。read() した内容をそのまま描画するには image() を使用します。

```
image(movie, X座標, Y座標, 幅, 高さ);
```

動画の色情報を抽出①

では、静止画と同じように、ムービーのデータから色情報を取り出して表現してみましょう。静止画のときと同様に、get() で指定した座標の色を取得し、取得した色を利用して形を描きます。例えば色の明るさを直径に反映して円を描く例は**リスト 11.2** のようになります。

▼リスト 11.2：動画を円のサイズで再生成　【実行結果は図 11.4】

```
import processing.video.*; // ビデオライブラリのインポート
Movie movie;               // ムービープレイヤの宣言
boolean playing;           // ムービーを再生しているか否か

void setup() {
  size(853, 480); // 画面初期設定
  frameRate(60);
  noStroke();
  // 再生するムービーを読み込む（読み込んだファイル名に変更）
  movie = new Movie(this, "movie.mov");
  movie.loop();   // ループ再生をONにする
  playing = true; // ムービーの再生状態をTrueにする
}

void draw() {
  background(0);
  int skip = 20;  // 色をピックアップする間隔を設定する
  // 設定した間隔で画面をスキャン
  for (int j = skip/2; j < height; j += skip) {
    for (int i = skip/2; i < width; i += skip) {
      color col = movie.get(i, j); // 指定した座標の色を読み込む
      float br = brightness(col);  // 明るさを抽出する
      fill(col);                   // 塗りつぶしの色を設定する
      // 明るさをサイズにして円を描く
      ellipse(i, j, skip * br / 255.0, skip * br / 255.0);
    }
  }
}

// ムービーのフレームが更新されたらイベントを実行する
void movieEvent(Movie m) {
  movie.read();  // 現在のフレームを読み込む
}

// マウスクリックで再生をON/OFFする
void mouseReleased() {
  if (playing == true) {
    // もし再生状態なら一時停止する
    movie.pause();
    playing = false;
  } else {
```

（次ページへ続く）

```
    // 再生状態でなければ再生する
    movie.play();
    playing = true;
  }
}
```

▼ 図 11.4：円の色とサイズによる動画の再生成　【リスト 11.2 の実行結果】

動画の色情報を抽出②

明るさを四角形の角度に対応させるとまた別の表現となります（**リスト 11.3**）。

▼ リスト 11.3：動画を角度で再生成　【実行結果は図 11.5】

```
import processing.video.*; // ビデオライブラリのインポート
Movie movie;               // ムービープレイヤの宣言
boolean playing;           // ムービーを再生しているか否か

void setup() {
  size(853, 480, P2D);  // 画面初期設定
  frameRate(60);
  noStroke();
  // 再生するムービーを読み込む（読み込んだファイル名に変更）
  movie = new Movie(this, "movie.mov");
  movie.loop();         // ループ再生をONにする
  playing = true;       // ムービーの再生状態をTrueにする
}

void draw() {
  background(0);
  rectMode(CENTER);
  // 色をピックアップする間隔を設定
  int skip = 10;
```

```
  // 設定した間隔で画面をスキャン
  for (int j = skip/2; j < height; j += skip) {
    for (int i = skip/2; i < width; i += skip) {
      color col = movie.get(i, j); // 指定した座標の色を読み込む
      float br = brightness(col);  // 明るさを抽出する
      fill(col, 127);              // 塗りつぶしの色を設定する
      pushMatrix();                // 座標を移動して回転する
      translate(i, j);
      float angle = map(br, 0, 255, 0, PI);
      rotate(angle);
      // 明るさをサイズにして四角形を描く
      rect(0, 0, skip * br / 32.0, skip/2.0);
      popMatrix();
    }
  }
}

// ムービーのフレームが更新されたらイベント実行
void movieEvent(Movie m) {
  movie.read();    // 現在のフレームを読み込む
}

// マウスクリックで再生をON/OFFにする
void mouseReleased() {
  if (playing == true) {
    movie.pause(); // 再生状態なら一時停止する
    playing = false;
  } else {
    movie.play();  // 再生状態でなければ再生する
    playing = true;
  }
}
```

▼図 11.5：四角形のサイズと角度による動画の再生成　【リスト 11.3 の実行結果】

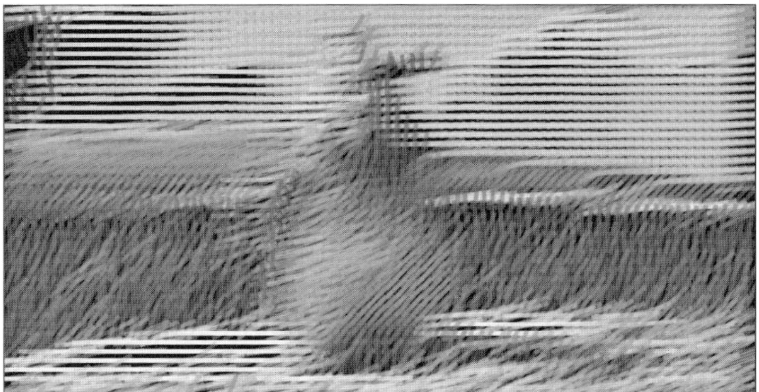

カメラからの映像キャプチャ①

次に Video ライブラリのもう 1 つの機能である Capture を使ったカメラ入力の処理を見てみましょう。Capture クラスの使い方は入力ソースが異なるだけで Movie と似ています。まずはカメラでキャプチャした映像をそのまま表示するシンプルな例です（**リスト 11.4**）。

クラス名やメソッド名、そしてイベント名が若干異なるものの、動画ファイルを再生したサンプルとほとんど同じ構造になっていることがわかります。

- Movie → Capture
- play() → start()
- movieEvent(Movie m) → captureEvent(Capture c)

▼ **リスト 11.4：カメラから映像キャプチャ**　【実行結果は図 11.6】

```
import processing.video.*; // ビデオライブラリのインポート
Capture cam;               // カメラの定義

void setup() {
  // 画面初期設定
  size(853, 480);
  frameRate(60);
  noStroke();
  cam = new Capture(this); // カメラを初期化する
  cam.start();             // キャプチャを開始する
}

void draw() {
  background(0);
  image(cam, 0, 0, width, height); // カメラの画像を描画する
}

// カメラのフレームが更新されたらイベント実行
void captureEvent(Capture c) {
  cam.read();
}
```

▼ **図 11.6：カメラによる映像のキャプチャ**　【リスト 11.4 の実行結果】

カメラからの映像キャプチャ②

もちろん、カメラから色情報を取り出す方法もほとんど変化ありません。円の色と大きさでピクセレイトしてみましょう（**リスト 11.5**）。

▼ リスト 11.5：カメラの映像を円のサイズで再生成　　【実行結果は図 11.7】

```
import processing.video.*; // ビデオライブラリのインポート
Capture cam;               // ムービープレイヤの宣言
boolean playing;           // ムービーを再生しているか否か

void setup() {
  // 画面初期設定
  size(853, 480);
  frameRate(60);
  noStroke();
  cam = new Capture(this); // カメラを初期化する
  cam.start();             // キャプチャを開始する
}

void draw() {
  background(0);
  int skip = 20;           // 色をピックアップする間隔を設定する
  // 設定した間隔で画面をスキャン
  for (int j = skip/2; j < height; j += skip) {
    for (int i = skip/2; i < width; i += skip) {
      color col = cam.get(i, j);  // 指定した座標の色を読み込む
      float br = brightness(col); // 明るさを抽出する
      fill(col);                  // 塗りつぶしの色を設定する
      // 明るさをサイズにして円を描く
      ellipse(i, j, skip * br / 255.0, skip * br / 255.0);
    }
  }
}

// カメラのフレームが更新されたらイベントを実行する
void captureEvent(Capture c) {
  cam.read();
}
```

▼ 図 11.7：カメラからの映像を円で再生成　　【リスト 11.5 の実行結果】

キャプチャと時間の流れ

動画のキャプチャは、静止した画像と違って時間軸を持っています。毎フレームを単純に画像のすべてをスキャンするのではなく、時間によってスキャンする場所を移動していくと、どのような効果が生まれるでしょうか？ 実際に試していきましょう（**リスト 11.6**）。まるでスキャナで書類をスキャンするかのように、時間の経過とともに横 1 列にスキャンする走査線が下に移動していきます。カメラの前で動いてみると時間の変化の軌跡が記録されていきます。

▼ リスト 11.6：カメラの映像をスキャン　【実行結果は図 11.8】

```
import processing.video.*; // ビデオライブラリのインポート
Capture cam;               // ムービープレイヤの宣言
float scanHeight;          // スキャンしている場所（高さ）
float scanSpeed;           // スキャンの移動スピード

void setup() {
  // 画面初期設定
  size(853, 480);
  frameRate(60);
  noStroke();
  cam = new Capture(this); // カメラを初期化する
  cam.start();             // キャプチャを開始する
  // スキャン位置とスピードの初期化
  scanHeight = 0.0;
  scanSpeed = 2.0;
  background(0);
}

void draw() {
  // 指定した高さの横1行だけスキャンする
  for (int i = 0; i < width; i++) {
    // 指定した座標の色を読み込む
    color col = cam.get(i, int(scanHeight));
    fill(col);                          // 塗りつぶしの色を設定する
    rect(i, scanHeight, 1, scanSpeed); // 四角形で色を塗る
  }
  // もしスキャンする場所が下端まできたら0にリセットする
  if (scanHeight > height) {
    scanHeight = 0;
  }
}

// カメラのフレームが更新されたらイベントを実行する
void captureEvent(Capture c) {
  cam.read();              // フレームを読み込む
  scanHeight += scanSpeed;  // 指定した速さでスキャンの高さを移動する
}
```

▼図 11.8：カメラからの映像をスキャン（P23 参照）　【リスト 11.6 の実行結果】

サウンドライブラリ

Sound ライブラリの構成

Sound ライブラリは、Processing 3 から使用できるようになった新しいライブラリです。Sound ライブラリができる以前は、Core Libraries として音に関するライブラリは存在しておらず、「Minim[注1]」や「Sonia Sound Library[注2]」といった、第三者による Contributed Library を選択する必要がありました。

Sound ライブラリは音に関する多岐に渡る機能を統合しています。そのためライブラリを構成するクラスが数多く含まれています。まず大まかな構成を整理しましょう（**表 11.1**）。

ここでは、たくさんの機能の中で、サウンドファイルの再生と FFT を用いた音響解析について取り上げていきます。

Part1：入門編
Part2：実践編
Part3：応用編
Part4：メディア活用編
Part5：外部ライブラリ活用編

注 1　http://code.compartmental.net/tools/minim/

注 2　http://sonia.pitaru.com/

▼表 11.1：Sound ライブラリ

処理	クラス	説明
サウンド入出力	AudioDevice	サウンドを入出力するデバイスの設定
	AudioIn	サウンド入力（マイク、ライン入力など）
サウンドファイルの再生	SoundFile	サウンドファイルのプレイヤ
サウンドエフェクト	LowPass	ローパスフィルタ（高域をカット）
	HighPass	ハイパスフィルタ（低域をカット）
	BandPass	バンドパスフィルタ（一部分の周波数帯域を取り出し）
	Delay	ディレイ
	Reverb	リバーブ
音響解析	Amplitude	音量
	FFT	高速フーリエ変換（周波数の成分を分析）
音響生成	WhiteNoise	ホワイトノイズを生成
	PinkNoise	ピンクノイズを生成
	BrownNoise	ブラウンノイズを生成
	SinOsc	サイン波を生成
	SawOsc	ノコギリ波を生成
	SqrOsc	矩形波を生成
	TriOsc	三角波を生成
	Pulse	パルス波を生成
エンベロープ（音の時間変化）	Env	エンベロープを生成

サウンドファイルの再生①

まずはじめにSound ライブラリのSoundFileを使用して、サウンドファイルを読み込んでProcessingで再生してみましょう。まず、読み込むためのサウンドファイルを用意してください。SoundFileでは、WAV、AIF/AIFF、MP3のファイル形式に対応しています。

ファイルが用意できたらプロジェクトにサウンドファイルを追加します。静止画（PImage）や動画（Movie）のデータと同じく、メニューバーから［スケッチ］→［ファイルを追加］で動画ファイルを選択します。

追加したサウンドを再生する簡単なサンプルを作ってみましょう（**リスト 11.7**）。実行すると、サウンドがループ再生されます。

▼リスト 11.7：サウンドファイルの再生

```
import processing.sound.*; // Soundライブラリを読み込む
SoundFile soundfile;       // サウンドプレイヤ

void setup() {
  size(800, 600);
  // サウンドファイルを読み込んでプレイヤを初期化する
  // ファイル名は読み込んだサウンドファイル名に変更する
```

```
  soundfile = new SoundFile(this, "sound.aiff");
  soundfile.loop();         // ループ再生する
}

void draw(){
  background(0);
}
```

サウンドファイルの再生②

もう少し発展させて、再生のパラメータをインタラクティブに操作できるようにしてみましょう。マウスの位置で音のパラメータを変化させてみます（**リスト 11.8**）。

画面上でマウスの位置を変化させると、音のパン（左右の定位）と再生スピードが変化します。SoundFile のインスタンスに対してメソッドを実行することで音の再生パラメータをさまざまに変化させることができます。ここで用いられている pan() と rate() のほかにもサウンドを再生するパラメータを操作するメソッドが用意されています。**表 11.2** に SoundFile のメソッドをまとめます。

▼ リスト 11.8：マウスでパンとスピードを変化　【実行結果は図 11.9】

```
import processing.sound.*; // Soundライブラリを読み込む
SoundFile soundfile;       // サウンドプレイヤ

void setup() {
  size(800, 600);
  // サウンドファイルを読み込んでプレイヤを初期化する
  // ファイル名は読み込んだサウンドファイル名に変更する
  soundfile = new SoundFile(this, "sound.aiff");
  soundfile.loop();         // ループ再生する
}

void draw(){
  background(0);
  // マウスのX座標の位置でパン（左右の定位）を変更する
  soundfile.pan(map(mouseX, 0, width, -1.0, 1.0));
  // マウスのY座標の位置で再生スピードを変更する
  soundfile.rate(map(mouseY, 0, height, 0.25, 4.0));
  // マウスの位置を交差する線で表示する
  noFill();
  stroke(255);
  line(mouseX, 0, mouseX, height);
  line(0, mouseY, width, mouseY);
}
```

▼図 11.9：マウスでパンとスピードを変化させる　【リスト 11.8 の実行結果】

▼表 11.2：SoundFile のメソッド

メソッド	説明
pan()	音のパン（左右の定位）を設定する
rate()	再生スピードを設定する
play()	サウンドを一度だけ再生する
loop()	サウンドをループ再生する
jump()	特定の時間までジャンプして再生を継続する
pan()	パン（左右の定位）を設定する
rate()	再生スピードを設定する
amp()	再生する音量を設定する
stop()	再生を停止する

サウンドファイルの再生③

次に、再生している音の様子をもう少し視覚的に表現してみましょう。Amplitude クラスを使用して再生している音量（音の大きさ）を視覚化してみましょう。**リスト 11.9** を実行すると、再生している音量によって円のサイズが変化します。とてもシンプルですが、音の様子を視覚的にとらえることができるようになりました。

▼リスト 11.9：音量を視覚化　【実行結果は図 11.10】

```
import processing.sound.*; // Soundライブラリを読み込む
SoundFile soundfile;       // サウンドプレイヤ
Amplitude rms;             // 音量解析
```

```
void setup() {
  size(800, 600);
  fill(0, 127, 255);
  noStroke();
  // サウンドファイルを読み込んでプレイヤを初期化する
  // ファイル名は読み込んだサウンドファイル名に変更する
  soundfile = new SoundFile(this, "sound.aiff");
  soundfile.loop();          // ループ再生する
  rms = new Amplitude(this); // 音量解析を初期化する
  rms.input(soundfile);      // 音量解析の入力を設定する
}

void draw() {
  background(0);
  // 音量を解析して値を調整する
  float diameter = map(rms.analyze(), 0.0, 1.0, 0.0, width);
  // 取得した音量で円を描く
  ellipse(width/2, height/2, diameter, diameter);
}
```

▼図11.10：音量が視覚化される　【リスト11.9の実行結果】

サウンド入力

次にサウンド入力について試していきましょう。サウンドファイルの再生とサウンド入力の関係は、Videoライブラリの MovieとCaptureの関係に似ています。ファイルのデータを再生するのが「SoundFile」、リアルタイムにサウンドを入力するのが「AudioIn」です（**表11.3**）。

▼表11.3：VideoライブラリとSoundライブラリ

ライブラリ	ファイルデータを再生	リアルタイム入力
Video	Movie	Capture
Sound	SoundFile	AudioIn

まずは簡単な例でサウンド入力を試してみましょう。サンプルを動かすには、プログラムを動かしているPCに、外部からのサウンドが入力されている状態になっている必要があります。PCのマイク入力かライン入力が有効になっているか確認してください。サウンドの入力が確認できたら**リスト11.10**を実行してみましょう。入力されたサウンドの音量に反応して、円の大きさ

が変化します。内容は、**リスト 11.9** の SoundFile に相当していた部分を AudioIn に変更しただけで、あとはすべて同じ処理になっています。

▼ リスト 11.10：サウンド入力の音量を視覚化

```
import processing.sound.*; // Soundライブラリを読み込む
AudioIn in;                // サウンド入力
Amplitude rms;             // 音量解析

void setup() {
  size(800, 600);
  fill(0, 127, 255);
  noStroke();
  in = new AudioIn(this, 0); // サウンド入力を初期化する
  in.start();                // サウンド入力を開始する
  rms = new Amplitude(this); // 音量解析を初期化する
  rms.input(in);             // 音量解析の入力を設定する
}

void draw() {
  background(0);
  // 音量を解析して値を調整する
  float diameter = map(rms.analyze(), 0.0, 1.0, 0.0, width);
  // 取得した音量で円を描く
  ellipse(width/2, height/2, diameter, diameter);
}
```

FFT（高速フーリエ変換）による音響解析

Amplitude クラスを使うことで、再生しているサウンドファイルやマイクなどから入力している音の全体の音量は視覚化できることがわかりました。しかし、再生している音がどのような音なのか、音の高さ（音高）や音の種類（音色）は、音量の解析だけではわかりません。もっと詳細に音について解析してそれを視覚化するには、どうすればよいでしょうか？

音と波形

音を視覚化するには、まずわたしたちがどのようにして音を聞いているのかについて考えていく必要があります。音を視覚化したイメージとしてまず思い浮かべるのは、「波」のイメージではないでしょうか。実際に音は空気中を波として伝わります。厳密には海面に発生するような波ではなく、空気の密度が高い部分と低い部分が連続する「疎密波」として音源から同心円状に伝わります。空気の密度の高低を Y 軸に、時間を X 軸にしてプロットしたのが音の波形です。波の細かさ（X 軸上の周期）が細かいほど高い音になります。また、波形の幅（Y 軸上の距離）が大きいほど、音量が大きくなります（**図 11.11**）。

▼図 11.11：音と波形

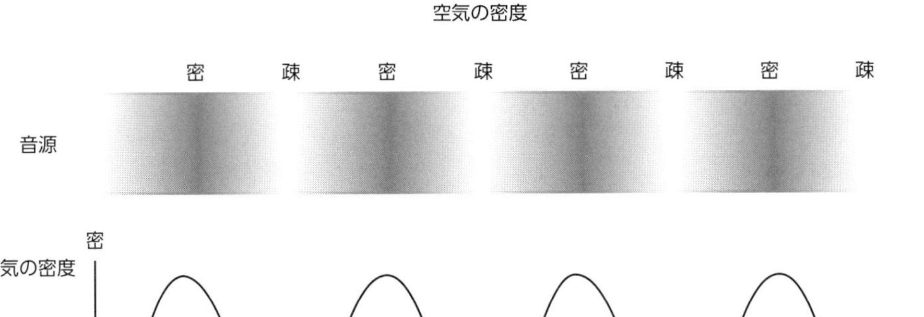

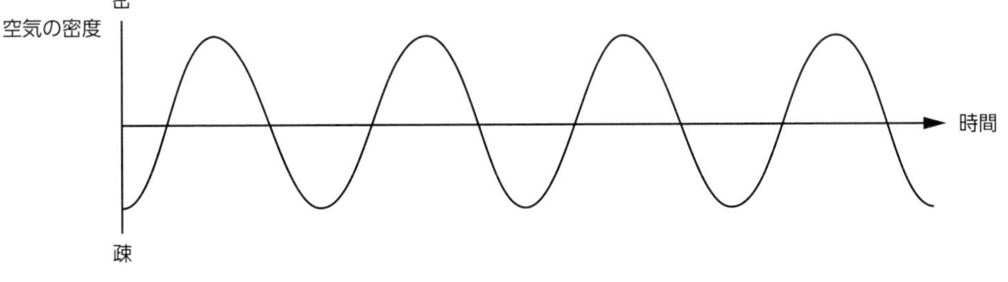

しかし、**図 11.11** の波形をじっと眺めると実際に聞こえる音がわかるかというと、話はそう単純ではありません。全体的な音量や周波数、時間的な変化などは読み取れるものの、音のキャラクターである音色は波形からは読み取ることは困難です。

耳の構造

これは、わたしたちの耳がどのように音を聞いているのかに由来します。耳の内部（内耳）を覗いてみるとさまざまな器官が複雑に連携しています。その中に蝸牛（かぎゅう）という器官があります。蝸牛は全体がうずまき状の大きな管になっていて、周波数ごとに振動しやすい位置が異なります。周波数ごとに分解された振動は最終的に脳に伝えられます。つまり、わたしたちは音を音波そのものの情報ではなく、そこに含まれる周波数成分で分解して聞いているのです。

フーリエ変換

わたしたちが耳で聞いているように、音などの時間信号をフーリエ変換という数学的な手法によって周波数成分に分解できます。フーリエ変換することで、音の中に含まれる周波数の成分を分解して、各成分の強さを取り出すことができます。また、逆にフーリエ逆変換するとで、周波数成分に分解された情報から時間信号（音の波形）を再現することもできます（**図 11.12**）。

▼図 11.12：フーリエ変換とフーリエ逆変換

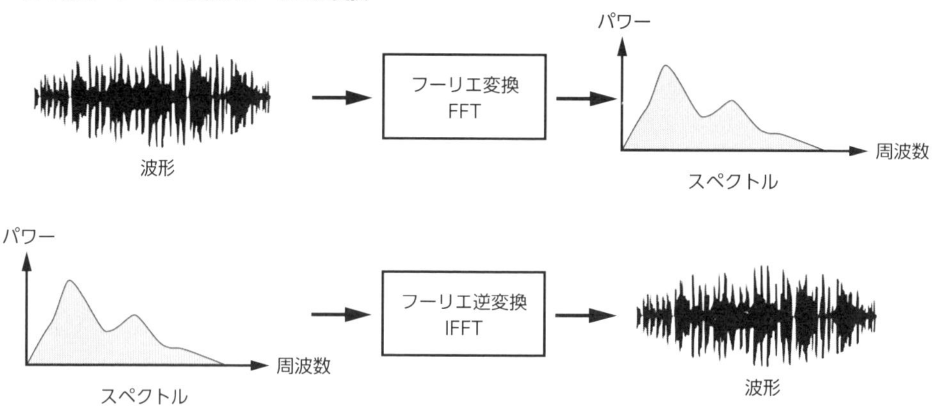

実際にプログラムを用いてフーリエ変換を行う際には、高速フーリエ変換（FFT；Fast Fourier Transform）というアルゴリズムを用いるのが一般的です。Sound ライブラリには、FFT を行うための機能が FFT クラスとして用意されています。FFT クラスを用いると難しい計算の内部は完全に理解していなくても、簡単に周波数解析を行えます。

周波数を解析してグラフ表示

では、AudioIn から音量を抽出する**リスト 11.10** を改造して、入力した音を FFT で周波数解析してグラフで表示するプログラムを作成してみましょう（**リスト 11.11**）。FFT による周波数解析の結果が、折れ線グラフとして描画されました（**図 11.13**）。周波数の成分ごとの分布を視覚化したものを「スペクトル（Spectrum）」といいます。**リスト 11.11** では、スペクトルの左が低い周波数の成分、右に行くほど高い周波数の成分の含まれる強さを表しています。声、楽器の音、手拍子のノイズのような音を入力すると、音色によってスペクトルが変化します。

▼リスト 11.11：FFT をグラフで表示　　【実行結果は図 11.14】

```
import processing.sound.*; // Soundライブラリを読み込む
AudioIn in;                // サウンド入力
FFT fft;                   // FFT（高速フーリエ変換） ―――❶
int bands = 1024;          // FFTサイズを設定する
float scale = 20.0;        // グラフの高さのスケールを設定する

void setup() {
  size(800, 600);
  in = new AudioIn(this, 0);  // サウンド入力を初期化する
  in.start();                 // 入力したサウンドを再生する
  fft = new FFT(this, bands); // FFTを初期化する ―――❷
  fft.input(in); ―――❸
}

void draw() {
```

```
  background(0);
  fft.analyze();                 // FFT解析を実行する ❹
  float w = width/float(bands); // グラフの横幅を算出する
  noFill();
  stroke(255);
  beginShape();                  // 線分の描画を開始する ─┐
  // FFTのバンドの数だけ繰り返し                          │
  for (int i = 0; i < bands; i++) {                       │
    // FFTの解析結果を高さにグラフを描く                  ├ ❺
    vertex(i * width/float(bands), height - fft.spectrum[i] * height * scale);
  }                                                       │
  endShape();                    // 線分の描画を終了する ─┘
}
```

▼図 11.13：FFT がグラフで表示される

【リスト 11.11 の実行結果】

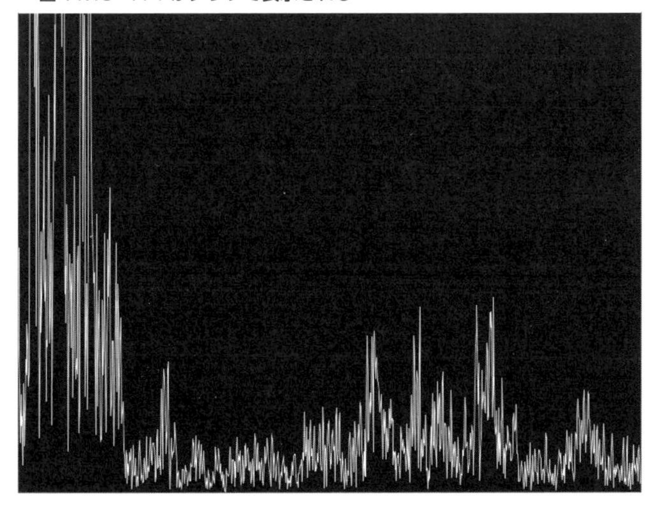

FFT 解析をするには、まず FFT クラスのインスタンス（fft）を用意します（❶）。fft を使用するには setup() 内でインスタンス化（初期化）する必要があります。初期化する際に「バンド幅」を指定します。

```
fft = new FFT(this, バンド幅);
```

バンド幅は、一度にどのくらい FFT（高速フーリエ変換）するのかという値です。バンド幅が大きいほど解析される周波数成分の解像度が高くなります。ただし周波数成分の解像度を高めると、時間方向の解像度（時間変化）が荒くなります。細かい時間変化を見たいのか、周波数成分を細かい精度で見たいのかによって、値を調整します。ただし、バンド幅は、FFT のアルゴリズムの制限により 2 の累乗（2, 4, 8, 16, 32, 64, 128, 256, ……）で指定する必要があります。次に、FFT する入力の信号を指定します。今回はオーディオ入力を解析するので AudioIn をインスタンス化した「in」を指定しています (❸) 。

実際の解析は draw() 内で毎フレーム行います。❹のように analize() を呼び出すと、FFT を用いた解析を行います。解析結果は、FFT クラス内の spectrum[ ] 配列に格納されるようになっています。値を順番に取り出せば解析結果をプロットできます。

❺では、それぞれ周波数帯域の解析結果を線でつないで折れ線グラフを描いています。

FFT によるサウンドのビジュアライズ①

FFT による解析結果を単純にプロットするのではなく、より視覚的に美しい形態に変換していきましょう。

先ほど作成したグラフを X 軸上に 90° 回転して、上から眺めたと仮定しましょう。そのとき、周波数成分が大きな値は濃い色で、低い値は薄い色で描かれると考えてみます。この方法で FFT の結果を実際に描いてみるとどうなるか試してみましょう。**リスト 11.12** では、さらに視覚的なバランンスを考えて、画面の中心から左右対象に描いています。中心が低い周波数、外側に行くほど高い周波数になります。スペクトルの情報は残しつつ、より視覚的に美しい効果が得られました。楽器の音や声など音程がはっきりした音を入力すると、音に含まれる倍音 (基本周波数から整数倍の周波数を持つ音) 成分を観察できます。

▼ リスト 11.12 : FFT を色の濃度でビジュアライズ　【実行結果は図 11.14】

```
import processing.sound.*; // Soundライブラリを読み込む
AudioIn in;                // サウンド入力
FFT fft;                   // FFT (高速フーリエ変換)
int bands = 128;           // FFTのサイズを設定する (2の累乗)
float scale = 5000.0;      // グラフの高さのスケールを設定する

void setup() {
  size(800, 600);
  noStroke();
  in = new AudioIn(this, 0);  // サウンド入力を初期化する
  in.start();                 // 入力したサウンドを再生する
  fft = new FFT(this, bands); // FFTを初期化する
  fft.input(in);              // FFTの入力信号を指定する
}

void draw() {
  background(0);
  fft.analyze();                     // FFT解析を実行する
  float w = width/float(bands)/2.0; // グラフの横幅を算出する
  // FFTのバンドの数だけ繰り返し
  for (int i = 0; i < bands; i++) {
    // FFTの解析結果を色の明るさに変換
    fill(fft.spectrum[i] * scale);
```

```
    // 左右に四角形を描く
    rect(width/2.0 + i * w, 0, w, height);
    rect(width/2.0 - i * w, 0, w, height);
  }
}
```

▼図 11.14：FFT を色の濃度でビジュアライズ　【リスト 11.12 の実行結果】

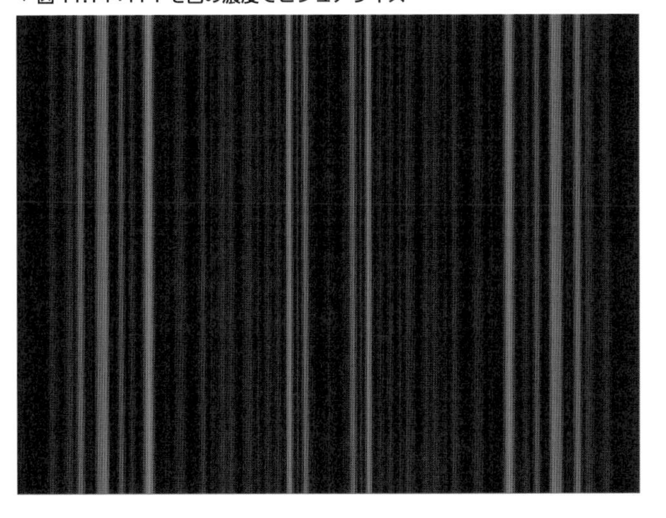

FFT によるサウンドのビジュアライズ②

もう少し工夫して、周波数成分の値を色の濃度ではなく円の大きさで表現してみましょう。**リスト 11.13** を少しだけ改造して、今度は色の濃度はそのままで、円の直径の値を FFT の解析結果に当てはめてみます。また、blendMode(ADD) を指定して色が加算されることで、発光するような効果を狙っています。

▼リスト 11.13：FFT を円のサイズでビジュアライズ　【実行結果は図 11.15】

```
import processing.sound.*; // Soundライブラリを読み込む
AudioIn in;                // サウンド入力
FFT fft;                   // FFT（高速フーリエ変換）
int bands = 128;           // FFTのサイズを設定する（2の累乗）
float scale = 10000.0;     // グラフの高さのスケールを設定する


void setup() {
  size(800, 600, P2D);
  noStroke();
  blendMode(ADD);
  in = new AudioIn(this, 0);  // サウンド入力を初期化する
  in.start();                 // 入力したサウンドを再生する
```

（次ページへ続く）

```
  fft = new FFT(this, bands); // FFTを初期化する
  fft.input(in);              // FFTの入力信号を指定する
}

void draw() {
  background(0);
  fft.analyze();                       // FFT解析を実行する
  float w = width/float(bands)/2.0; // グラフの横幅を算出する
  // FFTのバンドの数だけ繰り返し
  for (int i = 0; i < bands; i++) {
    fill(8);
    // 円の直径をFFT解析結果から算出
    float diameter = fft.spectrum[i] * scale;
    // 左右に円を描く
    ellipse(width/2.0 + i * w, height/2.0, diameter, diameter);
    ellipse(width/2.0 - i * w, height/2.0, diameter, diameter);
  }
}
```

▼図 11.15：FFT を円のサイズでビジュアライズ　【リスト 11.13 の実行結果】

FFT によるビジュアライズ③

さらに色をグラデーション状に設定すると、音と色の関連も生まれてきます（**リスト 11.14**）。

▼リスト 11.14：色のグラデーションを追加　【実行結果は図 11.16】

```
import processing.sound.*; // Soundライブラリを読み込む
AudioIn in;                // サウンド入力
FFT fft;                   // FFT（高速フーリエ変換）
int bands = 128;           // FFTサイズを設定する
float scale = 40000.0;     // グラフの高さのスケールを設定する
```

```
void setup() {
  size(800, 600, P2D);
  noStroke();
  blendMode(ADD);
  // HSB（色相、彩度、明度）モードで色を表現する
  colorMode(HSB, 360, 100, 100, 100);
  in = new AudioIn(this, 0);  // サウンド入力を初期化する
  in.start();                 // 入力したサウンドを再生する
  fft = new FFT(this, bands); // FFTを初期化する
  fft.input(in);
}

void draw() {
  background(0);
  fft.analyze();                          // FFT解析を実行する
  float w = width/float(bands)/2.0;    // グラフの横幅を算出する
  // FFTのバンドの数だけ繰り返し
  for (int i = 0; i < bands; i++) {
    float hue = 360/float(bands) * i; // 色相を計算する
    fill(hue, 100, 6);                  // HSBで色を指定する
    // 円の直径をFFT解析結果から算出
    float diameter = fft.spectrum[i] * scale;
    // 左右に円を描く
    ellipse(width/2.0 + i * w, height/2.0, diameter, diameter);
    ellipse(width/2.0 - i * w, height/2.0, diameter, diameter);
  }
}
```

▼図 11.16：色のグラデーションを追加（P23 参照）

【リスト 11.15 の実行結果】

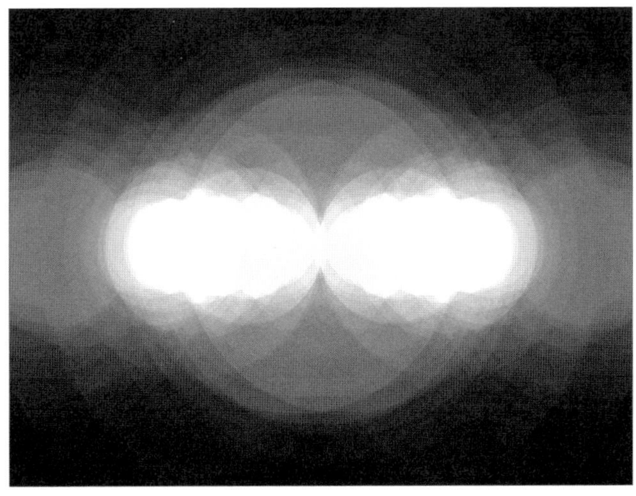

完成イメージの解析

本章では、ビデオとオーディオという2つのメディアを扱う方法について、データの扱い方から情報の取り出し方まで、一通り解説してきました。最後に本章の冒頭で紹介した完成イメージを解析していきましょう。

ビデオ入力を線で描画

完成イメージのプログラムはVideoライブラリのCaptureを使ったカメラ入力の処理と、SoundライブラリのAudioInとFFTを使用したオーディオ入力のFFT解析の2つの機能を同時に使用しています。そのため、若干込み入ったプログラムに感じられるかもしれません。

内容を整理するため、Soundライブラリの関係する部分をあとで追加するとして、VideoライブラリのCaptureによるカメラ入力と、カメラから入力された色情報から画像を生成する部分のみを抜き出します（**リスト11.15**）。

プログラムを実行すると、音による変化はないもののカメラから取り込んだ映像を等間隔（この例では4ピクセルごと）にピックアップして、行（X軸の並び）ごとに1本のラインで結んでいます（**図11.17**）。線の色をget()でピックアップした色に反映し、線のZ座標を色の明度に対応させることで、映像が横に並んだラインの凹凸によって表現に変化しています。

▼リスト11.15：ビデオ入力を線で描画　【実行結果は図11.17】

```
import processing.video.*; // ビデオライブラリのインポート
Capture cam;               // カメラのインプット
float scale = 1.0;         // 変化の全体スケール

public void setup() {
  size(800, 500, P3D);
  frameRate(60);
  blendMode(ADD);
  noFill();
  // ビデオキャプチャを初期化する
  cam = new Capture(this, width, height);
  cam.start();
}

public void draw() {
  background(0);
  strokeWeight(2.0);
  // ビデオ解析の粒度を設定する
  float hStep = 4.0;
  float wStep = 4.0;
  // 映像を解析する
  for (float j = 0; j < height; j += hStep) {
    beginShape(); // 線の描画を開始する
    for (float i = 0; i < width; i += wStep) {
      color col = cam.get(int(i), int(j)); // 色を取得する
```

```
      float br = brightness(col);          // 明度を計算する
      stroke(col);                         // 線の色を設定する
      // 明るさとFFT解析の結果から高さを決定して頂点を追加
      vertex(i, j, br * scale);
    }
    endShape();   // 線の描画を終了する
  }
}

// カメラのフレームが更新されたらイベントを実行する
void captureEvent(Capture c) {
  cam.read();
}
```

▼図 11.17：ビデオ入力を線で描画（P22 参照）　【リスト 11.15 の実行結果】

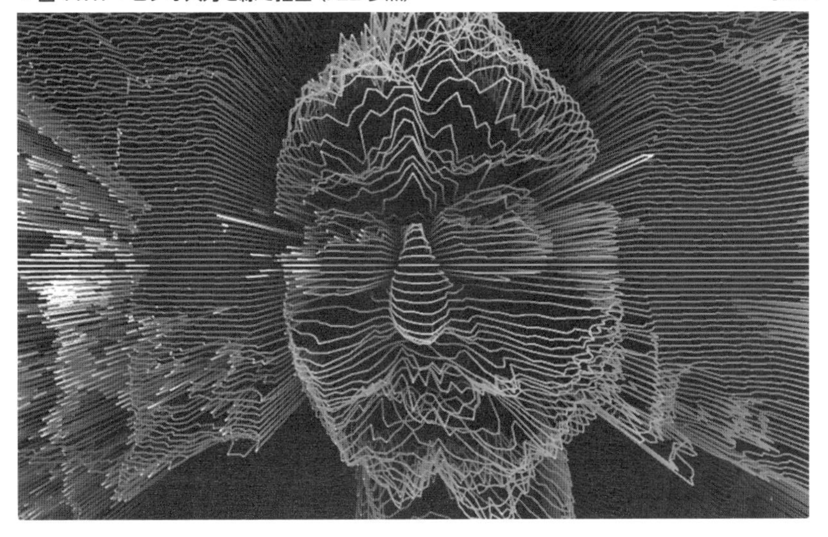

FFT 解析結果を線で描画

図 11.17 の凹凸のスケールに FFT 解析の結果を適用すると、**リスト 11.16** のようになります。1 本の横のラインを FFT 解析結果のそれぞれの周波数帯域ととらえ、変化の割合を FFT 解析結果で操作しています。これで、音の入力によって凹凸の大きさが変化するようになりました。

▼リスト11.16：FFT解析結果を線で描画

```
import processing.video.*; // ビデオライブラリのインポート
import processing.sound.*; // サウンドライブラリのインポート
Capture cam;               // カメラのインプット
AudioIn input;             // オーディオインプット
FFT fft;                   // FFT（高速フーリエ変換）
int bands = 64;            // FFTサイズを設定する
float scale = 20.0;        // 変化の全体スケールを設定する

public void setup() {
  size(800, 500, P3D);
  frameRate(60);
  noFill();
  blendMode(ADD);
  cam = new Capture(this, width, height); // ビデオキャプチャを初期化する
  cam.start();                            // オーディオインプットを初期化する
  input = new AudioIn(this, 0);
  input.start();
  fft = new FFT(this, bands);             // FFTを初期化する
  fft.input(input);
}

public void draw() {
  background(0);
  fft.analyze();  // FFT解析
  strokeWeight(2.0);
  float hStep = height / float(bands) / 2.0; // ビデオ解析の粒度を設定する
  float wStep = 4.0;
  int n = 0;                                 // FFT周波数帯域用カウンター
  // 映像を解析する
  for (float j = 0; j < height; j += hStep) {
    beginShape(); // 線の描画を開始する
    for (float i = 0; i < width; i += wStep) {
      color col = cam.get(int(i), int(j)); // 色を取得する
      float br = brightness(col);          // 明度を計算する
      stroke(col);                         // 線の色を設定する
      // 明るさとFFT解析の結果から高さを決定して頂点を追加
      vertex(i, j, br * fft.spectrum[n] * scale);
    }
    endShape();   // 線の描画を終了する
  }
  n++;            // 次の周波数帯域に
}

// カメラのフレームが更新されたらイベントを実行する
void captureEvent(Capture c) {
  cam.read();
}
```

完成イメージに適用

最終的なサンプルでは、もう少し工夫を加えています。凹凸の変化が上下で対称となるよう画面を上下半分に分割し、それぞれ描画をしています。

```
int n;
// 上半分の映像
n = 0;        // カウンターをリセットする
for (float j = height/2; j > 0; j -= hStep) {
    ...（中略）...
  }
  endShape(); // 線の描画を終了する
  n++;
}
// 下半分の映像
n = 0;        // カウンターをリセットする
for (float j = height/2 + hStep; j < height; j += hStep) {
    ...（中略）...
  }
  endShape(); // 線の描画を終了する
  n++;
}
```

また、凹凸の変化が急激すぎるので、全体がよりスムーズに動くように工夫しています。まず先頭でバンド数分の配列 sum[ ] を用意しています。また、スムージングの細かさを変更するための変数も同時に用意します。

```
float[] sum = new float[bands]; // FFT解析結果を保存する配列
float smooth_factor = 0.1;      // スムージングの細かさ
```

draw() で fft.analize() したあと、配列 sum[ ] に解析結果をすべて保存しています。ただし保存する際に、現在の値から前回のフレームの値を引き算した上で、スムージング用の変数を掛け算した値を足しています。この処理により変化がゆっくりと補完される効果が生まれています。

```
for (int i = 0; i < bands; i++) {
  sum[i] += (fft.spectrum[i] - sum[i]) * smooth_factor;
}
```

これで、プログラムの完成です！（**リスト 11.17**）この手法で、FFT とビデオ入力を組み合わせて、音と映像が融合したさまざまなオーディオ・ビジュアルな表現ができます。

▼ リスト 11.17：オーディオ・リアクティブ・ビデオ 【実行結果は図 11.1】

```
import processing.sound.*; // サウンドライブラリのインポート
import processing.video.*; // ビデオライブラリのインポート

AudioIn input;                  // オーディオインプット
Capture cam;                    // カメラのインプット
FFT fft;                        // FFT（高速フーリエ変換）
int bands = 64;                 // FFTサイズ
float[] sum = new float[bands]; // FFT解析結果を保存する配列
float smooth_factor = 0.1;      // スムージングの細かさ
float scale = 8.0;              // 変化の全体スケール

public void setup() {
  size(800, 500, P3D);
  frameRate(60);
  blendMode(ADD);
  // ビデオキャプチャの初期化
  cam = new Capture(this, width, height);
  cam.start();
  // オーディオインプットの初期化
  input = new AudioIn(this, 0);
  input.start();
  // FFTの初期化
  fft = new FFT(this, bands);
  fft.input(input);
}

public void draw() {
  background(0);
  noFill();
  strokeWeight(2.0);
  fft.analyze();  // FFT解析を行う
  for (int i = 0; i < bands; i++) {
    // 解析結果をスムージングをして配列に保存する
    sum[i] += (fft.spectrum[i] - sum[i]) * smooth_factor;
  }
  // ビデオ解析の粒度を設定する
  float hStep = height / float(bands) / 2.0;
  float wStep = 4.0;
  int n;
  // 上半分の映像
  n = 0;          // カウンタをリセットする
  for (float j = height/2; j > 0; j -= hStep) {
    beginShape(); // 線の描画を開始する
    for (float i = 0; i < width; i += wStep) {
      color col = cam.get(int(i), int(j)); // 色を取得する
      float br = brightness(col);          // 明度を計算する
      stroke(col);                         // 線の色を設定する
      // 明るさとFFT解析の結果から高さを決定して頂点を追加する
      vertex(i, j, br * sqrt(sum[n]) * scale);
```

```
    }
    endShape();   // 線の描画を終了する
    n++;
  }
  // 下半分の映像
  n = 0;          // カウンタをリセットする
  for (float j = height/2 + hStep; j < height; j += hStep) {
    beginShape(); // 線の描画を開始する
    for (float i = 0; i < width; i += wStep) {
      color col = cam.get(int(i), int(j)); // 色を取得する
      float br = brightness(col);          // 明度を計算する
      stroke(col);                         // 線の色を設定する
      // 明るさとFFT解析の結果から高さを決定して頂点を追加する
      vertex(i, j, br * sqrt(sum[n]) * scale);
    }
    endShape();   // 線の描画を終了する
    n++;
  }
}

// カメラのフレームが更新されたらイベントを実行する
void captureEvent(Capture c) {
  cam.read();
}
```

COLUMN

クリエイティブ・コーディングのための読書案内

「Processing: ビジュアルデザイナーとアーティストのためのプログラミング入門」

Casey Reas、Ben Fry 著、中西泰人 監修、安藤幸央、澤村正樹、杉本達應 翻訳／ビー・エヌ・エヌ新社／2015 年／ISBN978-4861009501

Processing の開発者、ベン・フライとケイシー・リース自身による Processing の機能を網羅した解説書。先頭から順番に読み進めていくものではないが、Processing すべての機能を解説している。

「Processing をはじめよう 第 2 版」(Make: PROJECTS)

Casey Reas、Ben Fry 著、船田 巧 翻訳／オライリー・ジャパン／2016 年／ISBN978-4873117737

こちらもベン・フライとケイシー・リースの著書。入門者向けに向けたチュートリアル形式になっている。

「FORM+CODE - デザイン／アート／建築における、かたちとコード」
Casey Reas 著、久保田 晃弘 監修、吉村 マサテル 翻訳／ビー・エヌ・エヌ新社／2011 年／ISBN978-4861007514
ケイシー・リースによる、コードを用いたデザイン、アート、建築の歴史と理論を総合的に紹介した書籍。さまざまな手法を用いたコードによる表現を、多くの事例を通して学ぶことができる。

「Nature of Code -Processing ではじめる自然現象のシミュレーション」
Daniel Shiffman 著、尼岡 利崇 監修、鈴木 由美 編集、株式会社 B スプラウト 翻訳／ボーンデジタル／2014 年／ISBN978-4862462459
自然界の法則に則ったさまざまな動きやパターンを、豊富な Processing のサンプルコードを通して学んぶことができる。

「Generative Design ―Processing で切り拓く、デザインの新たな地平」
Hartmut Bohnacker、Benedikt Gross、Julia Laub 著、国分 宏樹、深津 貴之 監修、Claudius Lazzeroni 編集／ビー・エヌ・エヌ新社／2016 年／ISBN978-4802510134
生成的／創発的な形態を生みだすためのさまざまな手法を、Processing のコードを用いて解説した本。カラーの図版を豊富に用いた作品事例の解説も充実している。

「[普及版] ジェネラティブ・アート―Processing による実践ガイド」
マット・ピアソン、Matt Pearson 著、久保田 晃弘 監修、沖 啓介 翻訳／ビー・エヌ・エヌ新社／2014 年／ISBN978-4861009631
アーティストやデザイナーのための、ジェネラティブ・アート（生成的な手法を用いたアート）をスケッチするための解説書。

「Beyond Interaction[改訂第 2 版] – クリエイティブ・コーディングのための openFrameworks 実践ガイド」
田所 淳 著、齋藤あきこ 著、編集／ビー・エヌ・エヌ新社／2013 年／ISBN978-4861008696
C++ をベースにしたクリエイティブコーディングのためのフレームワークである openFrameworks の解説書。openFrameworks を用いた作品の事例や作家のインタビューなども収録している。

外部ライブラリ活用編

第 11 章では、2 つの Core Library（Sound と Video）を使用しました。Processing には Core Library に加えて第三者によって開発された Contributed Library が存在します。本章では、Contributed Library の代表的なものや応用範囲が広いものをピックアップして説明します。

 Contributed Library

Contributed Library の一覧は、Processing のサイトのライブラリで閲覧できます（**図 E.1**）。Contributed Library は用途やジャンルは多岐にわたるため、大きなカテゴリごとに分類されて掲載されています（**表 E.1**）。

▼ 図 E.1：Processing のサイト（https://processing.org/reference/libraries/）

Cover
Download
Exhibition
Reference
Libraries
Tools
Environment
Tutorials
Examples
Books
Handbook
Overview
People
Shop
» Forum
» GitHub
» Issues
» Wiki
» FAQ
» Twitter
» Facebook

Contributions

Contributed Libraries must be downloaded individually. Select "Add Library..." from the "Import Library..." submenu within the Sketch menu. Not all available libraries have been converted to show up in "Add Library...". If a library isn't there, it will need to be installed manually. Follow the How to Install a Contributed Library instructions on the Processing Wiki for more information.

Contributed libraries are developed, documented, and maintained by members of the Processing community. For feedback and support, please post to the Forum. For development discussions post to the Create & Announce Libraries topic. Instructions for creating your own library are on the Processing GitHub site.

3D
Animation
Compilation
Data
GUI
Geometry
Hardware
I/O
Language
Math
Other
Simulation
Sound
Typography
Utilities
Video & Vision

3D

» PeasyCam
by Jonathan Feinberg
A mouse driven camera-control library for 3D sketches.

» planetarium
by Andres Colubri
This library provides a renderer to project 3D scenes on a full dome.

» Culebra Behavior Library for Processing

» Picking
by Nicolas Clavaud
Pick an object in a 3D scene easily.

» Camera 3D
by Jim Schmitz
Alter P3D Rendering to produce Stereoscopic Animations and other 3D effects.

» Shapes 3D
by Peter Lager

» Patchy
by Jonathan Feinberg
Patchy provides an easy-to-use bicubic patch for 3D Processing sketches.

» proscene
by Jean Pierre Charalambos
Library that eases the creation of interactive scenes.

» Collada Loader for SketchUp and

▼ 表 E.1：Contributed Library

カテゴリ	主な内容
3D	3 次元グラフィクス
Animation	アニメーション
Compilation	さまざまな機能をパッケージングしたもの
Data	データ通信
GUI	グラフィクス・ユーザインターフェイス
Geometry	2 次元や 3 次元の幾何学図形の生成
Hardware	センサーなどのハードウェアとの連携
I/O	データの入出力
Language	自然言語処理
Math	数学
Simulation	物理シミュレーションや群れのシミュレーション
Sound	サウンドの再生、音響生成と解析
Typography	タイポグラフィー（フォントデータ）
Utilities	ユーティリティ
Video & Vision	映像とコンピュータビジョン
Other	その他

Contribution Manager から探す方法

Contribution Manager から Contributed Library を探すこともできます。メニューバーから［スケッチ］→［ライブラリをインポート］→［ライブラリを追加］を選択して［Contribution Manager］を表示します。カテゴリから探したい場合には、画面の右上にあるプルダウンメニューから選択します（**図 E.2**）。

必要なライブラリ名がすでに判明している場合には、Core Library のときと同様に左上の検索メニューからライブラリ名で検索して選択します。一覧を眺めてみるとわかるように、さまざまなカテゴリに関する大量のライブラリが存在しています。

▼図 E.2：Contributed Manager

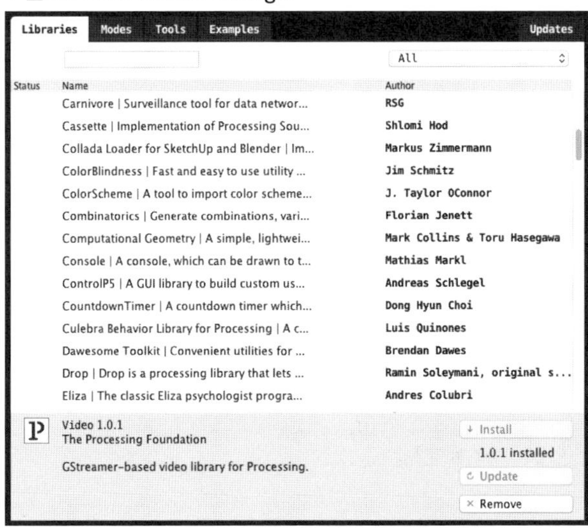

第12章 controlP5：GUIでパラメータを設定

本書では、プログラムのパラメータを設定する際に具体的な値を書き込んで実行して確認していました。しかし、パラメータを変更するたびに毎回実行し直して確認するのは大変です。こうした際に、実行画面に値を変更できる部品を追加して、実行しながらパラメータを操作できるととても便利です。本章では、GUI（Graphical User Interface）操作を追加できるライブラリ（controlP5）を紹介します。

controlP5のインストール

controlP5は、洗練されたGUIをプログラムに追加できるライブラリです。Contribution Managerで“controlP5”と検索してインストールします。

controlP5で使用できるGUIのパーツ

controlP5で使用できるGUIのパーツは用途に応じて多彩なインターフェイスが用意されています（**表12.1**）。

▼表12.1：controlP5で使用できるGUIのパーツ

クラス名	用途
Bang	bang（きっかけの信号）を送出するボタン
Botton	ボタン
ButtonBar	横1列に並んだボタンの集合
Chart	チャート（線グラフ）を描画
Checkbox	チェックボックス
ColorPicker	RGBのスライダーで色を選択
ColorWheel	色相／明度／彩度によるパレットから色をピックアップ
Timer	プログラムを起動してからの経過時間を表示
DropdownList	ドロップダウンメニュー
Knob	円形スライダー
ListBox	リストメニュー
Matrix	マトリクス・スイッチャー
ListBox	リストメニュー
Numberbox	数値を指定するボックス
RadioButton	ラジオボタン

▼表 12.1：controlP5 で使用できる GUI のパーツ（続き）

クラス名	用途
Range	レンジスライダー（値の範囲を指定）
ScrollableList	スクロール可能なリスト
Slider	1 次元スライダー
Slider2D	2 次元スライダー（2 つの値を平面で設定）
Textarea	スクロール可能なテキスト表示エリア
Textfield	テキスト入力フィールド
Textlabel	テキスト表示
Toggle	トグルボタン
Textlabel	テキスト表示

GUI 操作なしのプログラム

先に、GUI でパラメータをコントロールするベースとなる、GUI 操作がない簡単なプログラムを作成してみましょう（**リスト 12.1**）。実行すると 3D の立方体が回転します（**図 12.1**）。

▼リスト 12.1：立方体の回転 GUI なし　【実行結果は図 12.1】

```
void setup(){
  size(800, 600, P3D); // 画面を設定する
}

void draw(){
  background(0);
  lights();                          // ライティングをONにする
  translate(width/2, height/2, 0); // 画面の中心を原点にする
  rotateX(millis()/1000.0 * 1.0);  // X軸を中心に回転する
  rotateY(millis()/1000.0 * 1.5);  // Y軸を中心に回転する
  fill(255);                         // 白い立方体を描画する
  noStroke();
  box(200);
}
```

▼図 12.1：立方体の回転（GUI なし）　【リスト 12.1 の実行結果】

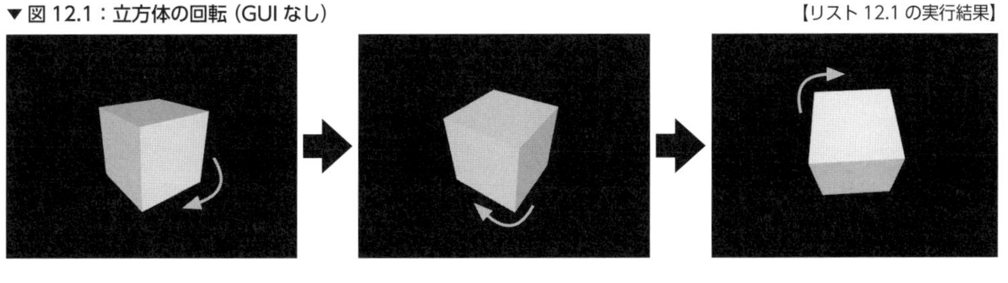

 スライダーによる値の操作

さまざまなパラメータをGUI部品であるスライダーで操作できるように、**リスト12.1**に記述を加えてみましょう。変更できるパラメータはいくつかありますが、まずは、単純な数値の変更で効果的な影響がありそうな3つの値を変更してみます（**リスト12.2**）。

- 立方体のサイズ
- 回転スピード：X軸
- 回転スピード：Y軸

▼リスト12.2：GUIによる立方体の回転のコントロール　【実行結果は図12.2】

```
import controlP5.*; // controlP5ライブラリを読み込む      ❶
ControlP5 cp5;      // controlP5をcp5として宣言する

// スライダーを3つ宣言する
Slider boxSize; // 立方体のサイズ                        ❷
Slider rotateX; // 回転スピードX
Slider rotateY; // 回転スピードY

void setup() {                                          ❸
  size(800, 600, P3D);       // 画面を設定する
  cp5 = new ControlP5(this); // controlP5を初期化する
  // スライダーを追加する
  boxSize = cp5.addSlider("BOX SIZE") // スライダー1 : ボックスのサイズ
    .setPosition(20, 20)
    .setRange(0, 400)
    .setValue(200);
  rotateX = cp5.addSlider("ROTATE X") // スライダー2 : 回転スピードX
    .setPosition(20, 30)
    .setRange(1.0, 10.0)
    .setValue(2.0);
  rotateY = cp5.addSlider("ROTATE Y") // スライダー3 : 回転スピードY
    .setPosition(20, 40)
    .setRange(1.0, 10.0)
    .setValue(2.0);
}

void draw() {                                           ❼
  background(0);
  pushMatrix();
  lights();                                         // ライティングをONにする
  translate(width/2, height/2, 0);                  // 画面の中心を原点にする
  rotateX(millis()/1000.0 * rotateX.getValue()); // X軸を中心に回転する  ❺
  rotateY(millis()/1000.0 * rotateY.getValue()); // Y軸を中心に回転する  ❻
  fill(255);                                        // 白い立方体を描画する
  noStroke();
  box(boxSize.getValue());                                              ❹
  popMatrix();
}
```

まずプログラムの先頭（❶）で、controlP5 のライブラリを読み込んで宣言します。次に、3 つの値をスライダーで変化させられるように、それぞれ Slider クラスとして宣言します（❷）。

setup() の中で controlP5 を初期化します。各スライダーのパラメータを設定した上で初期化しています（❸）。スライダーの初期化は、次のようになっています。

```
スライダーのインスタンス = cp5.addSlider("ラベル名")
    .setPosition(x, y)
    .setRange(最小値, 最大値)
    .setValue(初期値);
```

ここでは、ボックスのサイズを「BOX SIZE」、回転スピード X を「ROTATE X」、回転スピード Y を「ROTATE Y」とそれぞれラベルをつけて初期化しています。さらに、.setPosition()、.setRange()、.setValue() を指定して位置、値の最大値と最小値、初期値を設定しています。スライダーの値は次のように float の値として取り出せます。

```
スライダーのインスタンス.getValue();
```

リスト 12.2 では❹～❻で立方体の大きさと X／Y 軸方向のスピードを書き換えています。draw()（❼）で 3 つのスライダーの値を取り出して描画します。

プログラムを実行すると画面の左上に 3 つのスライダーが出現します（**図 12.2**）。スライダーを操作すると、プログラムを実行したまま立方体のサイズと回転スピードを変更できます。プログラムの実行結果をみながらパラメータを値を微調整できるので、とても簡単に最適な値を設定できます。

▼図 12.2：GUI による立方体の回転のコントロール　【リスト 12.2 の実行結果】

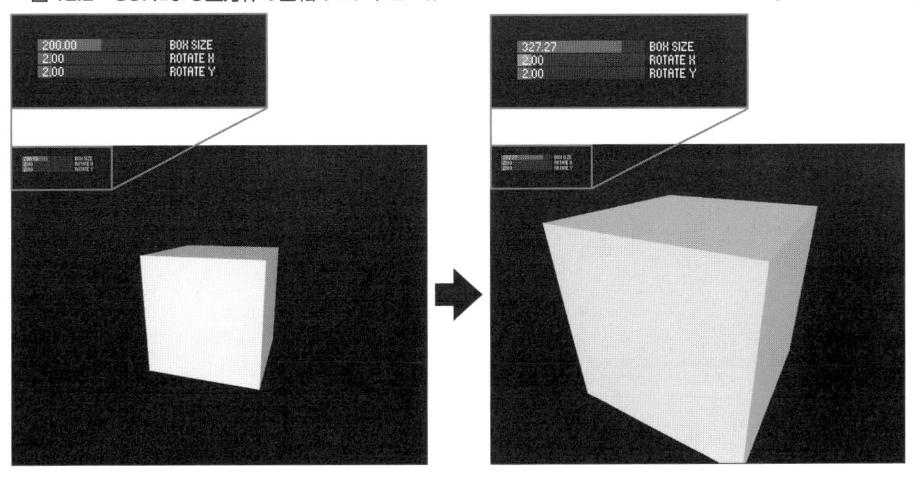

 2D スライダーによる値の操作

先ほどのサンプル（**リスト 12.2**）では、立方体の X 軸と Y 軸の回転スピードを 2 つの Slider で実現していましたが、1 つにまとめてみましょう（**リスト 12.3**）。Slider2D を使用すると、2 つのパラメータを 1 つのユーザインターフェイスで操作できます。

Slider2D クラスの初期化は次のように行います。

```
インスタンス = cp5.addSlider2D("ラベル名")
  .setPosition(x, y)                 // 描画位置
  .setSize(width, height)            // サイズ
  .setMinMax(min1, min2, max1, max2) // 最小値1, 最小値2, 最大値1, 最大値2
  .setValue(val1, val2);             // 初期値1, 初期値2
```

また、スライダーの値を取り出す際には、次のようにしてそれぞれの値を取り出します。

```
インスタンス.getArrayValue()[0];  // 1つ目の値
インスタンス.getArrayValue()[1];  // 2つ目の値
```

では、先ほどのプログラム（**リスト 12.2**）の 2 つの Slider を、次のように 1 つにまとめます。修正したプログラムは**リスト 12.3** のようになります。実行すると 2 つのスライダーの代わりに平面上のインターフェイスが出現します（**図 12.3**）。平面の中の 1 点を指定すると、X 軸 Y 軸それぞれの回転スピードが同時に変化します。

```
Slider rotateX; // 回転スピードX
Slider rotateY; // 回転スピードY
  ↓         ↓         ↓
Slider2D rotate; // スライダー2D : 回転スピード (x, y)
```

▼リスト 12.3：2 つのスライダーをまとめる　【実行結果は図 12.3】

```
import controlP5.*; // controlP5ライブラリを読み込む
ControlP5 cp5;      // controlP5をcp5として宣言する
Slider boxSize;     // スライダー：立方体のサイズ
Slider2D rotate;    // スライダー2D：回転スピード (x, y)

void setup() {
  size(800, 600, P3D);        // 画面を設定する
  cp5 = new ControlP5(this); // controlP5を初期化する
  // スライダーを追加する
  boxSize = cp5.addSlider("BOX SIZE")  // スライダー1 : ボックスのサイズ
    .setPosition(20, 20)
    .setRange(0, 400)
    .setValue(200);
```

```
  rotate = cp5.addSlider2D("ROTATION") // スライダー2D : 回転スピードXY
    .setPosition(20, 40)
    .setSize(100,100)
    .setMinMax(1.0,1.0,10.0,10.0)
    .setValue(2.0,2.0);
}

void draw() {
  background(0);
  pushMatrix();
  lights();                                          // ライティングをONにする
  translate(width/2, height/2, 0);                   // 画面の中心を原点にする
  rotateX(millis()/1000.0 * rotate.getArrayValue()[0]); // X軸を中心に回転する
  rotateY(millis()/1000.0 * rotate.getArrayValue()[1]); // Y軸を中心に回転する
  fill(255);                                         // 白い立方体を描画する
  noStroke();
  box(boxSize.getValue());
  popMatrix();
}
```

▼図 12.3：2 つのスライダーをまとめる　【リスト 12.3 の実行結果】

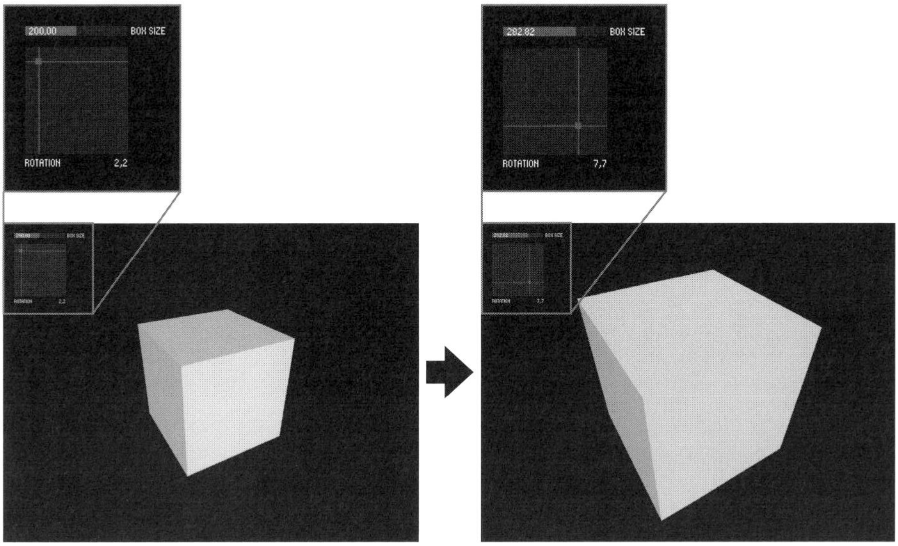

実行／停止と色の変化

さらに、いろいろなインターフェイスを試してみましょう。現在追加されている立方体のサイズ（Slider）と回転スピード（Slider2D）に加えて、次のインターフェイスを追加してみます（**リスト 12.4**）。

- 回転の開始／停止：Toggle
- ボックスの色：ColorWheel

さまざまな GUI パーツからパラメータをコントロールできるようになりました。

▼リスト 12.4：Toggle と ColorWheel の追加　【実行結果は図 12.4】

```
import controlP5.*; // controlP5ライブラリを読み込む
ControlP5 cp5;      // controlP5をcp5として宣言する
Slider boxSize;     // スライダー：立方体のサイズ
Slider2D rotate;    // スライダー2D：回転スピード（x, y）
ColorWheel col;     // カラー：立方体の色
Toggle start;       // トグルボタン：スタート／ストップ

void setup() {
  size(800, 600, P3D);       // 画面を設定する
  cp5 = new ControlP5(this); // controlP5を初期化する
  // スライダーを追加する
  boxSize = cp5.addSlider("BOX SIZE")  // スライダー1 : ボックスのサイズ
    .setPosition(20, 20)
    .setRange(0, 400)
    .setValue(200);
  rotate = cp5.addSlider2D("ROTATION") // スライダー2D : 回転スピードXY
    .setPosition(20, 40)
    .setSize(100, 100)
    .setMinMax(1.0, 1.0, 10.0, 10.0)
    .setValue(2.0, 2.0);
  start = cp5.addToggle("START/STOP")  // トグルスイッチ
    .setPosition(20, 160)
    .setSize(20, 20);
  col = cp5.addColorWheel("COLOR")     // カラー選択
    .setPosition(20, 220)
    .setRGB(color(31, 128, 255));
}

void draw() {
  background(0);
  pushMatrix();
  lights();                          // ライティングをONにする
  translate(width/2, height/2, 0); // 画面の中心を原点にする
  // もしトグルスイッチがONになっていたら回転する
```

```
  if (start.getState()) {
    rotateX(millis()/1000.0 * rotate.getArrayValue()[0]); // X軸を中心
    rotateY(millis()/1000.0 * rotate.getArrayValue()[0]); // Y軸を中心
  }
  fill(col.getRGB());              // カラーパレットで選択した色で塗る
  noStroke();
  box(boxSize.getValue());         // 立方体を描画する
  popMatrix();
}
```

▼図 12.4：Toggle と ColorWheel の追加　【リスト 12.4 の実行結果】

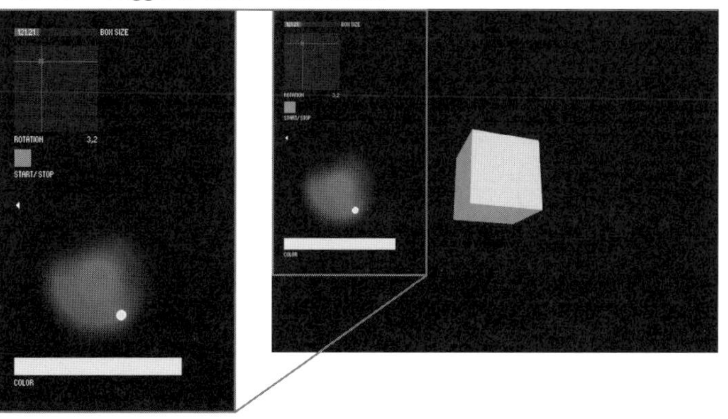

controlP5 のサンプル

controlP5 には、ほかにも便利な GUI のパーツが用意されています。使用方法は、[ファイル] → [サンプル] でサンプル一覧（**図 12.5**）を開いて、[Contributed Librales] → [controlP5] 内にあるサンプルを参照してください。

▼図 12.5：controlP5 のサンプル

Add Examples...

- Basics
- Topics
- Demos
- Libraries
- Contributed Libraries
  - Arduino (Firmata)
  - Box2D for Processing
  - ControlP5
    - controllers
    - experimental
    - extra
    - use
  - GenerativeDesign
  - Geomerative
  - Keystone
  - Minim

第13章 Fisica：物理シミュレーション

第６章では、ニュートンの運動方程式を一からコーディングして運動と力を表現しました。Processingではさらに、物体同士の衝突や弾力を持った「ばね」の表現などの物理現象のシミュレーションができます。物理シミュレーションのためのライブラリはたくさんありますが、本章では「Fisica」を紹介します。

 Fisicaとは

「Fisica」は「Box2D」というライブラリをProcessingに移植したライブラリです。Box2D（**図13.1**）は、２次元平面での質量、速度、摩擦などを適用した物理法則にもとづく運動、衝突判定などを簡単にプログラミングできる物理シミュレーションのための汎用的なライブラリです。オリジナルのライブラリはC++で書かれていますが、さまざまな言語に移植され、現在ではJava、ActionScript、C#、Lua、JavaScriptなどに移植されています。

▼図13.1：Box2Dプロジェクトサイト（http://box2d.org/）

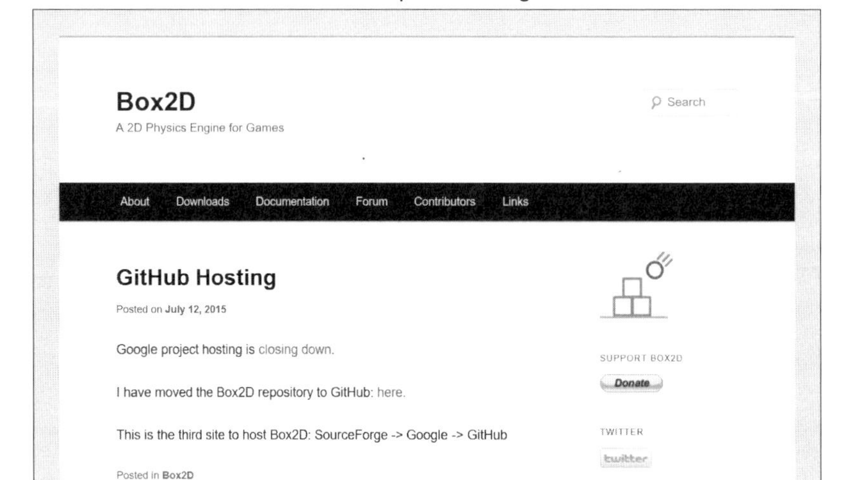

Processingの元になっているJavaに移植されたBox2Dは、「JBox2D」というライブラリ名で公開されています。JBox2DをさらにProcessingで使用できるようにしたライブラリはいくつかありますが、本章ではRicard Marxer氏によって実装された「Fisica」（**図13.2**）を紹介します。

▼図 13.2：Fisica プロジェクトサイト（http://www.ricardmarxer.com/fisica/）

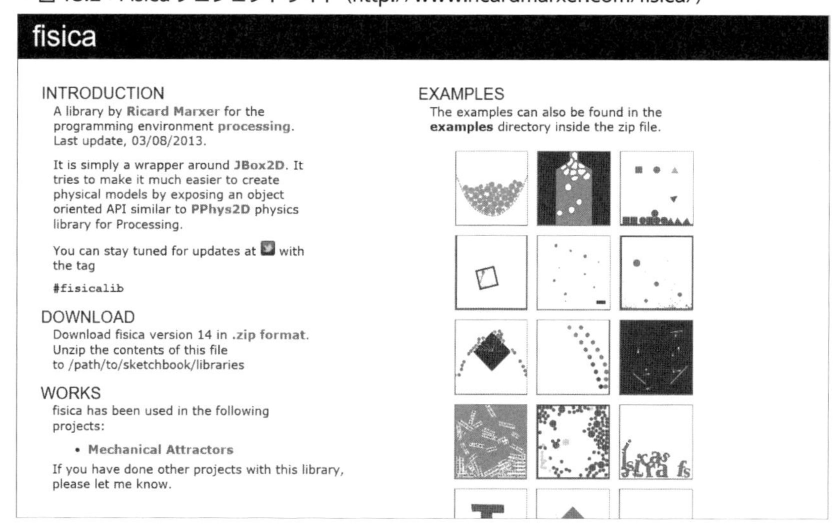

第 6 章の物体の運動を実装する方法は、setup() で物体を初期化して、そのあと draw() ですべての物体の力や運動を 1 つずつ計算し、さらに位置を計算し、結果をフレームごとに描画していました。

物体と物体の衝突を計算しようとすると、急激に複雑さを増してきます。すべての物体が円形だった場合は中心と円の半径から衝突した瞬間を算出するのは比較的簡単ですが、例えば回転可能な四角形同士の衝突に変更すると、それぞれの四角形の大きさだけでなく現在の回転角度、さらには衝突したあとにどのように回転スピードに影響を与えるかなど膨大な計算が発生し、とても複雑な処理が必要となってきます。

ところが Fisica を使用することで、draw() で行っていた摩擦や重力を加味した物体の力や運動の計算、さらに物体同士の衝突の計算もできるようになります。物理計算の詳細を理解していなくても、リアルな物理法則の再現ができます。

Fisica のインストール

メニューバーから［スケッチ］→［ライブラリをインポート］→［ライブラリを追加］で［Contribution Manager］を開き、「Fisica」で検索してインストールします。

使用できる派生クラス

Box2D から派生した物理演算ライブラリでは、物理演算が適用されるシーンのことを「World」と呼んでいます。Fisica の場合は「FWorld」というクラスが使用されます。この FWorld はすべての物理演算を受け持ちます。FWorld に追加する物体のことを Box2D では「Body」と呼び、

Fisica では「FBody」と呼びます。

Fisica では、よく使用される形態を FBody の派生クラスとしてあらかじめ定義されています。**表 13.1** で挙げる FBody の派生クラスは、1 つの世界（FWorld）の中に混在して使用でき、それぞれがお互いに衝突を含めた物理世界の中で運動します。もちろん、ここからさらにクラスを派生させてより複雑な図形を生成することもできます。

▼表 13.1：FBody の派生クラス

クラス名	形態
FCircle	円形
FBox	矩形
FLine	線
FPoly	多角形
FBlob	弾性を持った多角形
FCompound	複数の形態の組み合せ

四角形の堆積

では、基本形態の中から FBox（矩形）を使用して FWold の中に大量に追加してみましょう（**リスト 13.1**）。世界の画面の四隅に壁を作り、下向きに重力を働かせます。画面上でマウスをクリックすると、その場所からランダムな大きさの FBox が追加されるようにしてみます。

▼リスト 13.1：FBox の追加 【実行結果は図 13.3】

```
import fisica.*; // Fisicaライブラリのインポート ─┐
FWorld world;    // FWorldの宣言 ─────────────┴── ❶

void setup() {
  size(800, 600);
  frameRate(60);
  Fisica.init(this);    // Fisicaを初期化する ─── ❷
  world = new FWorld(); // FWorldを初期化する ─── ❸
  world.setEdges();     // 上下左右に壁を生成する ─── ❹
}

void draw() {
  background(255);
  world.step(4.0/60.0); // スピードを設定して物理計算を実行する ─── ❺
  world.draw(this);     // 物体を描画する
}

// マウスを押すと矩形を追加する
void mouseReleased() {
  float width = random(10, 80);    // 幅をランダムに決定する
  float height = random(10, 80);   // 高さをランダムに決定する
```

```
    // 新規に矩形 (FBox) を生成してインスタンス (box) を生成する
    FBox box = new FBox(width, height); ──────────────────────❻
    box.setPosition(mouseX, mouseY); // マウスの位置へ移動する ───❼
    box.setRestitution(0.6);          // 反発力を0.6にする ──────❽
    box.setFill(31, 127, 255);        // 塗りつぶしの色を設定する ─┐
    box.setStroke(31);                // 線の色を設定する ─────────┴❾
    world.add(box);                   // Fisicaの世界に追加する ───❿
}
```

まず冒頭（❶）で Fisica ライブラリをインポートして、FWorld のインスタンスを宣言します。次に setup() の中身を見ていきましょう。画面の基本設定をしたあとで Fisica を初期化しています（❷）。次に、new FWorld() で FWorld をインスタンス化して先に準備しておいたインスタンス world に代入することで FWorld を初期化します（❸）。

また、**リスト 13.1** では画面の上下左右に壁を作って物体が溢れ落ちないようにしています。これは、world に対して setEdge() を実行するだけで簡単に作成できます（❹）。

次に draw() を見ていきましょう。draw() は、物理演算をして結果を描くだけです。物理演算をするには、world に対して step() を実行します（❺）。通常はこれで 1 ステップずつ演算が進みます。Fisica のデフォルトは 1 ステップが 1/60 秒ですが、setep() の引数として 1 ステップの時間（単位は秒）を指定することで、変更できます。

物理演算した物体の結果は、ひとつひとつ描画する必要はありません。ここでも Fisica に全部任せてしまうことができます。world に対して draw() を実行すると追加されたすべての物体（FBody）が描画されます。

続いて、画面をマウスクリックすると矩形（FBox）が追加されるように、mouseReleased() イベントが定義されています。まず、幅と高さをランダムに決定した上で、FBox を初期化してインスタンス box を生成しています（❻）。box にはさまざまな設定を加えています。まず位置を現在のマウスの位置に移動します（❼）。次に物体の反発力（Restitution）を設定します（❽）。0.0～1.0 の範囲で指定できます。大きな数値ほど反発力の高いゴムボールのような性質になります。反発力を 0.0 にすると、まったく反発力のない例えばレンガのような物体になります。ここでは、0.6 を設定しました。描画する物体の塗りつぶしの色と線の色も設定できます（❾）。それぞれ、setFill()、setStroke() で RGB の値を指定します。これで、FBox のインスタンス box の設定が完了しました。あとは world.add() を引数に追加する物体のインスタンスを指定して実行します（❿）。

実行して画面をクリックしてみましょう。とてもリアルな物理運動をしながら画面に四角形が堆積していきます。第 3 章でプログラミングした物理世界からさらに進んで、物体同士の衝突、衝突した結果の反発、回転、摩擦などさまざまな力が複雑に絡みあいリアルな世界を再現しています。

▼図 13.3：FBox の追加（画面上をクリックすると四角形が堆積する）　【リスト 13.1 の実行結果】

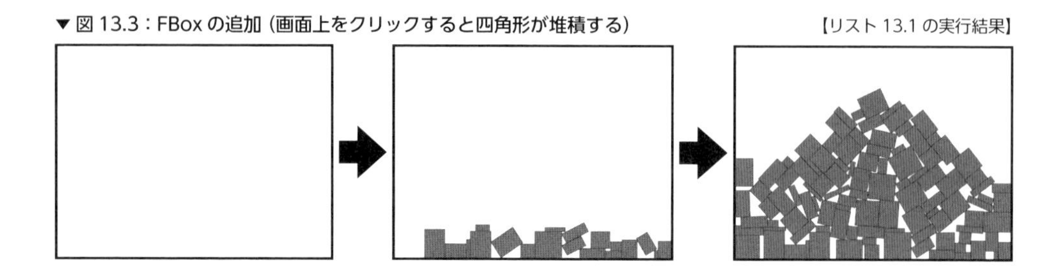

マウス操作で作成した障害物に堆積する円形や四角形

続いて　キーボードの入力で、[c] キーを入力すると FCircle（円形）の物体、[b] キーで Fbox（矩形）が出現するようにしてみます。配置される場所は現在のマウスポインタです。また、画面上でマウスをドラッグすると描かれる多角形を FPoly（ポリゴン）として画面内の物体になるようにしてみます。さらに描画したポリゴンは重力や衝突の影響を受けて場所を移動することなく、画面上で静止して障害物として機能するようにしてみましょう（**リスト 13.2**）。

▼リスト 13.2：障害物を描画　【実行結果は図 13.4】

```
import fisica.*;   // Fisicaライブラリのインポート
FWorld world;      // FWorldを宣言する
FPoly poly = null; // ポリゴンを設定する
float speed = 4.0; // スピードを可変にする

void setup() {
  size(800, 600);
  frameRate(60);
  Fisica.init(this);      // Fisicaを初期化する
  world = new FWorld();   // FWorldを初期化する
}

void draw() {
  background(255);
  world.step(speed/60.0); // 物理計算する
  world.draw(this);       // 物体を描画する
  if (poly != null) {
    poly.draw(this);      // 描画中のポリゴンを描画する
  }
}

// キーを押すと矩形を追加する
void keyPressed() {
  // もしbキーを押したら
```

❶ ❷

```
  if (key == 'b') {
    float width = random(10, 40);       // 幅をランダムに決定
    float height = random(10, 40);      // 高さをランダムに決定する
    // 新規に矩形（FBox）を生成してインスタンス（box）を生成する
    FBox box = new FBox(width, height);
    box.setPosition(mouseX, mouseY);    // マウスの位置へ移動する
    box.setRestitution(0.6);            // 反発力を0.6にする
    box.setFill(31, 127, 255);          // 塗りつぶしの色を設定する
    box.setStroke(31);                  // 線の色を設定する
    world.add(box);                     // Fisicaの世界に追加する
  }                                                              ❸
  // もしcキーを押したら
  if (key == 'c') {
    float radius = random(10, 40);      // 幅と高さをランダムに決定する
    // 新規に矩形（FBox）を生成してインスタンス（box）を生成する
    FCircle circle = new FCircle(radius);
    circle.setPosition(mouseX, mouseY); // マウスの位置へ移動する
    circle.setRestitution(0.6);         // 反発力を0.6にする
    circle.setFill(255, 127, 31);       // 塗りつぶしの色を設定する
    circle.setStroke(31);               // 線の色を設定する
    world.add(circle);                  // Fisicaの世界に追加する
  }                                                              ❹
  // もしqキーを押したら
  if (key == 'q') {
    world.clear();                      // すべての物体をクリア
  }                                                              ❺
}

void mousePressed() {
  poly = new FPoly();              // 新規にポリゴンを生成する
  poly.setFill(127);               // 線と塗りつぶしの設定をする
  poly.setStatic(true);            // 画面に固定する
  poly.vertex(mouseX, mouseY);     // 現在のマウスの位置を頂点に指定する
}

void mouseDragged() {
  // もしポリゴンを描画中だったら
  if (poly!=null) {                                              ❻
    poly.vertex(mouseX, mouseY); // 現在のマウスの位置を頂点に指定する
  }
}

void mouseReleased() {
  // もしポリゴンを描画中だったら
  if (poly!=null) {                                              ❻
    world.add(poly);               // 描画したポリゴンをworldに追加する
    poly = null;                   // ポリゴンを新規描画モードにする
  }
}
```

まず、ライブラリのインポートに必要となるFisicaのインスタンスを準備します（❶）。各ステップでのスピードをすぐに調整できるようにspeedというグローバルな変数を用意しています。

setup()では、**リスト13.1**とほぼ同じですが、上下左右の壁は作成していません（world.setEdges();がありません）。

draw()も変更点はわずかです。画面上で描画中のポリゴンを描くようにしています（❷）。

続いて、キーの入力で、FBox（矩形）、もしくはFCircle（円形）を追加するようにしています。keyPressed()内のイベントとして作成しています。if文で入力したキーを判別し、もし b キーならFBoxを新規に作成し（❸）、c キーならFCircleを新規に作成して（❹）、それぞれworldに追加しています。また、q キーを押すとworldに現在含まれている物体すべてを消去します（❺）。worldに対してclear()を実行すると、すべての物体が消去されます。

最後は、マウスによってFPoly（ポリゴン）を描いて、それを画面上に固定された障害物として配置するパートです。おおまかな構造は次のようになっています。

- mousePressed()：マウスボタンを押したとき
  →新規にFPolyをインスタンス化する
  →最初の頂点を追加する
- mouseDragged()：マウスをドラッグしたとき
  →ポリゴンが描画中か確認する
  →描画中であればマウスポインタの位置に頂点を追加する
- mouseReleased()：マウスボタンを離したとき
  →ポリゴンが描画中か確認する
  →描画中であれば描画したポリゴンをworldに追加する
  →ポリゴンの描画モードから出る

ポリゴンが描画中かどうかは、FPloyのインスタンスplolyがnullかどうかを確認しています（❻）。nullは「空」という意味で、polyの中に何も頂点が入っていない状態の場合のみtrueになります。これによって、描画中はdraw()から直接描画し、そうでなければ、worldの中で描画するように切り替えています。

では、実行してみましょう（**図13.4**）。b キーで四角形が、c キーで円形が画面に追加されていきます。今回は四隅に壁がないので、そのまま画面の下に落下して消えてしまいます。画面上でマウスをドラッグすると自由に形を描くことができます。マウスで描いた形がそのまま障害物となり、円や四角がぶつかってバウンドしたり、くぼみに堆積していきます。

▼図13.4：障害物を描画し、r キーで四角形、c キーで円形が発生する　【リスト13.2の実行結果】

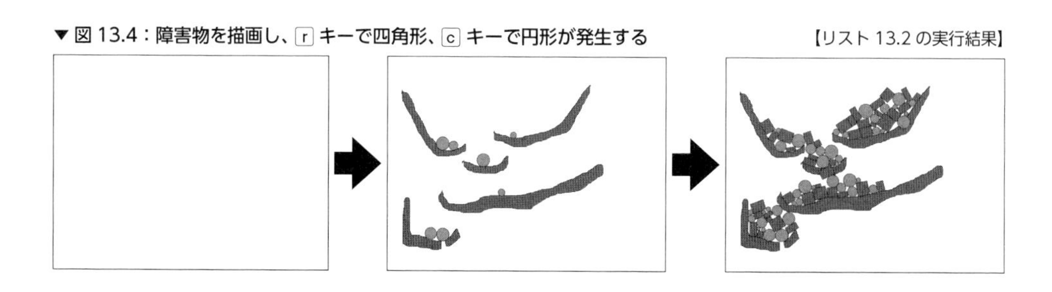

第14章 oscP5：データ通信でアプリケーション連携

本章では、ネットワーク機能を用いてアプリケーション連携するサンプルを紹介します。Open Sound Control（OSC）を用いた通信を行う「oscP5」を取り上げます。

OSCとは

Processingでネットワーク機能を用いる方法はいくつか用意されています。例えば、ProcessingのCore LibraryのNetworksライブラリ[注1]を使用するとTCP/IP通信ができます。また、Serialライブラリ[注2]は、USBなどで接続されたArduinoなどの外部のハードウェアとシリアル通信できます。

本章ではTCP/IPやシリアル通信ではなく、もう少し扱いが簡単で拡張性のあるOpen Sound Control（OSC）を用いた通信について取り上げます。OSCは、現代のコンピュータネットワーク技術に最適化された、コンピュータとシンセサイザーなどの電子楽器、さらにさまざまなマルチメディアデバイス同士でコミュニケーションするための通信プロトコル（通信の方式）です。名前から推測できるようにもともとは電子楽器とコンピュータ間で、音楽を演奏したデータをネットワーク経由でリアルタイムに共有するために開発されました。接続にはオフィスや家庭内のLANで一般的に使用されているイーサーネットを使用します。インターネットを介して、遠隔地同士で情報を送受信することもできます。

OSCは自由さや拡張性の高さから、さまざまなアプリケーションや開発環境に実装されるようになりました。本来の音楽の演奏情報以外にも、映像やプログラム同士の同期など、さまざまな用途に用いられるようになっています。主なものだけでも次の開発環境やアプリケーションで利用されています。

- ChucK
- Csound
- Max/MSP
- openFrameworks
- Pure Data
- Quartz Composer
- Reaktor
- SuperCollider
- VDMX

注1　Networksライブラリ：https://processing.org/reference/libraries/net/
注2　Serialライブラリ：https://processing.org/reference/libraries/serial/

ProcessingでOSCを利用するには、Contributed Libraryである「oscP5」を利用します。

oscP5のインストール

メニューバーの[スケッチ]→[ライブラリをインポート]→[ライブラリを追加]で[Contribution Manager]を開いて「oscP5」を検索してインストールします。

OSCのしくみ

oscP5を使ったコーディングを始める前に、OSCで何ができるのか、どのようなしくみになっているのか見ていきましょう。

OSCは、例えば次のようなメッセージを送るようなしくみです。

```
/trigger/instrument/a  440 0.1 "hello"
```

このメッセージは前半の「/trigger/insturument/a」と後半の「440 0.1 "hello"」に分かれます。

OSCアドレスパターン

前半のスラッシュ「/」で区切られた文字列を「OSCアドレスパターン」と呼びます。これは、送信するメッセージの送り先を指定しています。WWWで用いられるURL（ページのアドレス）を思い浮かべるとわかりやすいでしょう。例えば、URLで

http://example.com/document/about.html

というアドレスは、「example.com」というサーバ上にある「document」フォルダ内の「about.html」という書類であると解釈されます。スラッシュによって階層的に情報の構造が定義されています。OSCアドレスパターンもこれと同じ考え方をします。

先ほどの例（/trigger/instrument/a）について考えると、「trigger」というカテゴリの「instrument」の「a」に対してメッセージを送るという意味になります。OSCアドレスパターンは、目的に応じて自由に使って構いません。

OSC引数

次に続く数値や文字列の羅列（440 0.1 "hello"）は「OSC引数（OSC Arguments）」と呼ばれ、実際に送受信される値です。一度に複数の値（整数（int）、浮動小数点（float）、文字列（string））を送ることができます。

OSC による送受信①

OSC の概要を把握したところで、さっそく Processing で活用してみましょう。

送信側

まずは送信側のプログラムからです。現在のマウスの座標を毎フレーム OSC で送出するプログラムを作成してみましょう。送信する際の OSC アドレスパターンは「/mouse/position」にしてみましょう。同時に 2 つの OSC 引数を持たせます。1 つ目の値はマウスの X 座標、2 つ目は Y 座標です。どちらも int 型で指定するようにします。例えば、マウスが（300, 200）の位置にあったとすると、次の OSC メッセージを送出します。

```
/mouse/position 300 200
```

この方針にしたがって作成したプログラムは**リスト 14.1** になります。

▼ リスト 14.1：マウスの位置を OSC で送信　　【実行結果は図 14.1】

```
import oscP5.*; // OSC関連のライブラリをインポート
import netP5.*;
OscP5 oscP5;    // OSCP5クラスのインスタンス
NetAddress myRemoteLocation; // OSC送出先のネットアドレス

void setup() {
  size(800,600);
  frameRate(60);
  // ポートを12001に設定して新規にOSCP5のインスタンスを生成する
  oscP5 = new OscP5(this,12001);
  // OSC送信先のIPアドレスとポートを指定する
  myRemoteLocation = new NetAddress("127.0.0.1",12000);
}

void draw() {
  background(0);
  // マウスの場所に円を描く
  noFill();
  stroke(255);
  ellipse(mouseX, mouseY, 10, 10);
  // 現在のマウスの位置をOSCで送出する
  OscMessage myMessage = new OscMessage("/mouse/position");
  myMessage.add(mouseX);                    // X座標の位置を追加する
  myMessage.add(mouseY);                    // Y座標の位置を追加する
  oscP5.send(myMessage, myRemoteLocation); // OSCメッセージを送信する
}
```

受信側

送信側から送出されたOSCを受信するスケッチを新規に作成します（**リスト14.2**）。

OSCを受信するには、oscEvent() イベントを使用します。oscEvent() イベントは引数にOscMessageを受け取り、何らかのOSCメッセージが受信されたら常にイベント内の処理が実行されます。イベント内の処理の中で、まずOSCアドレスパターンで処理を振り分け、さらに引数がある場合は値を抽出していきます。具体的には、まずOSCアドレスパターンが「/mouse/position」だけに絞り込み、さらに2つの引数をint型で取り出しています（❶）。それぞれマウスのX座標とY座標に相当します。

あとは、draw() 内で取り出した値を中心にして円を描いています。

▼リスト14.2：マウスの位置をOSCで受信　【実行結果は図14.1】

```
import oscP5.*;
import netP5.*;

OscP5 oscP5;      // OSCP5クラスのインスタンス
PVector mouseLoc; // マウスの位置ベクトル

void setup() {
  size(800,600);
  frameRate(60);
  // ポートを12000に設定して新規にOSCP5のインスタンスを生成する
  oscP5 = new OscP5(this,12000);
  // マウスの位置ベクトルを初期化する
  mouseLoc = new PVector(width/2, height/2);
}

void draw() {
  background(0);
  // OSCで指定された座標に円を描く
  noFill();
  stroke(255);
  ellipse(mouseLoc.x, mouseLoc.y, 10, 10);
}

// OSCメッセージを受信した際に実行するイベント
void oscEvent(OscMessage theOscMessage) {
  // もしOSCメッセージが /mouse/position だったら
  if(theOscMessage.checkAddrPattern("/mouse/position")==true) {   ❶
    // 最初の値をint型としてX座標にする
    mouseLoc.x = theOscMessage.get(0).intValue();
    // 次の値をint型としてY座標にする
    mouseLoc.y = theOscMessage.get(1).intValue();
  }
}
```

実行方法

送信側のスケッチと受信側のスケッチの両方を起動してみましょう。起動したら送信側のスケッチの画面上でマウスを動かします。するとまったく同じ動きが受信側のスケッチで再現される様子が観察できます。

▼ 図 14.1：OSC によるマウスの動きの送受信

【リスト 14.1 とリスト 14.2 の実行結果】

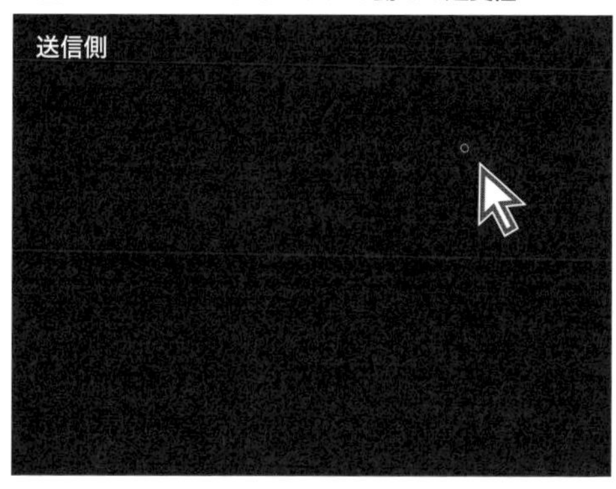

OSC による送受信②

マウスの位置だけでなく、さらに別の動作（マウスのクリック）を OSC メッセージに追加してみましょう。

送信側

送信側は**リスト 14.3** のようになります。マウスのクリックを送出するための新たな OSC メッセージを追加します。OSC アドレスパターンを「/mouse/click」にして、マウスボタンを押した際（mousePressed）は「1」を指定します（❶）。押していたボタンを離した際（mouseReleased）には「0」を指定します（❷）。

▼ リスト 14.3：マウスの動作を OSC で送信

```
import oscP5.*; // OSC関連のライブラリをインポート
import netP5.*;
OscP5 oscP5;    // OSCP5クラスのインスタンス
NetAddress myRemoteLocation; // OSC送出先のネットアドレス

void setup() {
  size(800, 600);
  frameRate(60);
  // ポートを12000に設定して新規にOSCP5のインスタンスを生成する
  oscP5 = new OscP5(this, 12001);
```

（次ページへ続く）

```
  // OSC送信先のIPアドレスとポートを指定する
  myRemoteLocation = new NetAddress("127.0.0.1", 12000);
}

void draw() {
  background(0);
  // マウスの場所に円を描く
  noFill();
  stroke(255);
  ellipse(mouseX, mouseY, 10, 10);
  // 現在のマウスの位置をOSCで送出
  OscMessage myMessage = new OscMessage("/mouse/position");
  myMessage.add(mouseX);                        // X座標の位置を追加する
  myMessage.add(mouseY);                        // Y座標の位置を追加する
  oscP5.send(myMessage, myRemoteLocation); // OSCメッセージを送信する
}

// マウスを押した際にOSCを送信する
void mousePressed() {
  OscMessage myMessage = new OscMessage("/mouse/click");
  myMessage.add(1);                             // 押した合図を追加する ―――❶
  myMessage.add(mouseX);                        // X座標の位置を追加する
  myMessage.add(mouseY);                        // Y座標の位置を追加する
  oscP5.send(myMessage, myRemoteLocation); // OSCメッセージを送信する
}

// マウスを離した際に別のOSCを送信する
void mouseReleased() {
  OscMessage myMessage = new OscMessage("/mouse/click");
  myMessage.add(0);                             // 離した合図を追加する ―――❷
  oscP5.send(myMessage, myRemoteLocation); // OSCメッセージを送信する
}
```

受信側

受信側は、受け取ったメッセージを利用してビジュアルの工夫をしてみます（**リスト 14.4**）。

まず、マウスのボタンの状態（mousePressed/mouseReleased）に応じて、背景色を変化させています。押されているときは背景を赤（❶）に、それ以外のときは黒（❷）にしています。また、マウスボタンが押されると、マウスポインタの場所から円が拡がっていくようなエフェクトを追加しました（❸❹）。

▼リスト14.4：マウスの動作をOSCで受信

```
import oscP5.*;
import netP5.*;
OscP5 oscP5;             // OSCP5クラスのインスタンス
PVector mouseLoc;        // マウスの位置ベクトル
color bgColor;           // 背景色
ArrayList<Ring> rings; // 拡がる円のための配列

void setup() {
  size(800, 600, P3D);
  frameRate(60);
  // ポートを12000に設定して新規にOSCP5のインスタンスを生成する
  oscP5 = new OscP5(this, 12000);
  // マウスの位置ベクトルを初期化する
  mouseLoc = new PVector(width/2, height/2);
  // 拡がる円のための配列を初期化する
  rings = new ArrayList<Ring>();
}

void draw() {
  background(bgColor);
  // OSCで指定された座標に円を描く
  noFill();
  stroke(255);
  ellipse(mouseLoc.x, mouseLoc.y, 10, 10);
  // 拡がる円を描画する
  for (int i = 0; i < rings.size(); i++) {
    rings.get(i).draw();
    // もし指定した大きさより大きくなったら円を消去する
    if (rings.get(i).radius > width*2) {
      rings.remove(i);
    }
  }
}

// OSCメッセージを受信した際に実行するイベント
void oscEvent(OscMessage theOscMessage) {
  // もしOSCメッセージが /mouse/position だったら
  if (theOscMessage.checkAddrPattern("/mouse/position")==true) {
    // 最初の値をint型としてX座標にする
    mouseLoc.x = theOscMessage.get(0).intValue();
    // 次の値をint型としてY座標にする
    mouseLoc.y = theOscMessage.get(1).intValue();

  // もしOSCメッセージが /mouse/click だったら
  } else if (theOscMessage.checkAddrPattern("/mouse/click")==true) {
    // もしmousePressedだったら
    if (theOscMessage.get(0).intValue() == 1) {
      bgColor = color(255, 0, 0); // 背景を赤にする ─────────❶
      // 拡がる円を新規に追加する
```

（次ページへ続く）

```
      PVector location = new PVector();
      location.x = theOscMessage.get(1).intValue();
      location.y = theOscMessage.get(2).intValue();
      Ring r = new Ring(location);
      rings.add(r);
    } else {
      bgColor = color(0);          // 背景を黒にする
    }
  }
}

// 拡がる円を描画するクラス
class Ring {
  PVector location;
  float radius;
  float speed;

  Ring(PVector _location) {
    location = new PVector();
    location = _location;
    radius = 0;
    speed = 5.0;
  }

  void draw() {
    strokeWeight(4.0);
    noFill();
    stroke(0, 127, 255);
    pushMatrix();
    translate(location.x, location.y);
    ellipse(0, 0, radius, radius);
    popMatrix();
    radius += speed;
    strokeWeight(1.0);
  }
}
```

(❸: PVector location = new PVector(); ～ rings.add(r);　❷: bgColor = color(0);　❹: class Ring { ～ })

実行方法

送信側と受信側の双方のスケッチを起動してみましょう。送信側の画面内でマウスをクリックすると、クリックした場所から円が拡がっていき、さらに受信側の画面の背景色が変化する様子がわかります。

▼図 14.2：OSC で波紋を描く（受信側は背景が赤色になり、波紋が広がる）

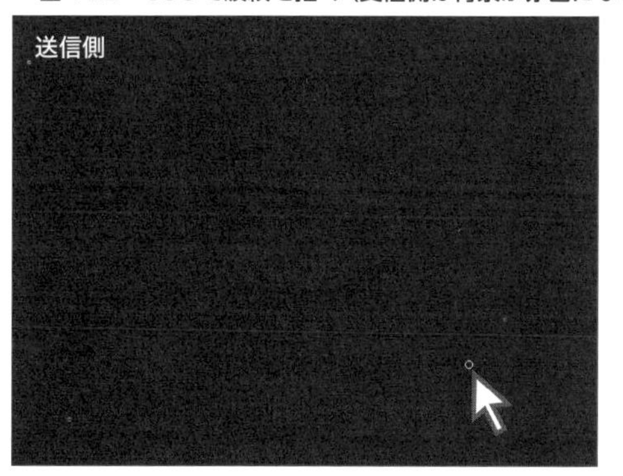

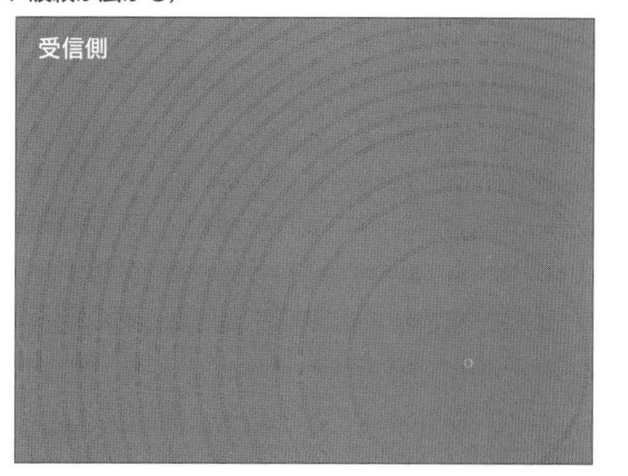

COLUMN

p5.js

p5.js は、Processing と同じような環境を JavaScript のライブラリとして実現させようというプロジェクトです。プログラマ／アーティストの Lauren McCarthy を中心にオープンソースで開発されています。

オフィシャルサイト：https://p5js.org/

Processing のベースである Java と、p5.js である JavaScript は何が違うのでしょうか？ Java と JavaScript は名前こそ似ているものの、まったく関係のない別のプログラミング言語です。JavaScript の大きな特徴は、Web ブラウザの中で実行するプログラミング言語である点です。

Processing のスケッチを Web ブラウザで動かすには、まずブラウザ側で Java を動かすためのプラグインをあらかじめインストールしておく必要があります。また実行されるスケッチも、Web ブラウザで直接実行されるわけではなく、インストールされた Java プラグインの中で実行されています。p5.js で作成したスケッチは、Web ブラウザ内で直接実行されます。プラグインなどのインストールは一切必要ありません。さらに、Web ブラウザで利用できるほかの機能、たとえばスライダーやボタンなどの GUI の活用やほかの JavaScript ライブラリと連携できます。

第15章 OpenCV for Processing：コンピュータビジョン

本章では、ライブラリを用いてコンピュータビジョン（CV；Computer Vision）を活用したスケッチを作成します。「OpenCV for Processing」というライブラリを使って、映像の中から物体情報を取得します。

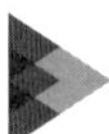

コンピュータビジョンとは

コンピュータビジョンとは、一口に言うと「ロボットの目」を作ろうという研究領域です。例えば、カメラの前に映っている物体の情報は、ピクセルの集合にすぎません。コンピュータは物体の距離や位置、物体と背景との境界はどこなのかといった情報はわかりません。コンピュータビジョンは、さまざまな画像処理や機械学習の手法を用いて、映像の中の物体の情報を取得可能にします。

コンピュータビジョンに関連するさまざまな画像処理を行うためのライブラリとして、OpenCVというオープンソースのライブラリが公開されています。OpenCVは、コンピュータビジョンにおける標準的なライブラリです。

OpenCV for Processingの機能

ProcessingでもOpenCVが利用できるライブラリ「OpenCV for Processing」が公開されています。OpenCV for Processingでは、**表15.1**に挙げるようにOpenCVのさまざまな機能が利用できます。

▼表15.1：OpenCV for Processingの機能

機能	説明
FaceDetection	画像の中から顔を認識
BrightnessContrast	明度とコントラストを補正
FilterImages	基本的な画像のフィルタリング、二値化、ぼかし
FindContours	物体の輪郭を抽出
FindEdges	エッジ検出
FindLines	画像から直線を検出
BrightestPoint	画像の中の一番明るい点を検出
RegionOfInterest	画像処理する領域を設定
ImageDiff	2つの画像の差分を算出

▼表 15.1：OpenCV for Processing の機能（続き）

機能	説明
DilationAndErosion	数理形態学的な処理
BackgroundSubtraction	背景画像との差分を抽出
ColorChannels	色のチャンネルを分割
FindHistogram	ヒストグラムを描画
HueRangeSelection	特定の色相を抽出
HistogramSkinDetection	肌の色の領域を抽出
DepthFromStereo	ステレオ画像から 3 次元情報を生成

OpenCV for Processing のインストール

OpenCV for Processing のライブラリも Contribution Manager からインストールします。メニューバーの［スケッチ］→［ライブラリをインポート］→［ライブラリを追加］から［Contribution Manager］を開いて「OpenCV for Processing」をインストールします。

輪郭抽出

では、まず基本的なサンプルとして、OpenCV を用いて物体の輪郭を抽出してみましょう（**リスト 15.1**）。

▼リスト 15.1：OpenCV で輪郭を抽出

```
import gab.opencv.*;          // OpenCVライブラリのインポート ──────────────┐
import processing.video.*;    // ビデオライイラリーのインポート（カメラ入力用）─┘─❶
OpenCV opencv;                // OpenCVのインスタンス ─────────────────┐
Capture video;                // ライブカメラ ──────────────────────┘─❷
ArrayList<Contour> contours; // 輪郭の配列 ───────────────────────────❸

void setup() { ─────────────────────────────────────────────┐
  size(640, 480); // 画面サイズを設定する                          │
  frameRate(60);  // フレームレートを設定する                      │
  opencv = new OpenCV(this, 640, 480); // 画面サイズを指定してOpenCVを初期化する ├─❹
  video = new Capture(this, 640, 480); // ビデオキャプチャを初期化する     │
  video.start();  // キャプチャを開始する                          │
} ───────────────────────────────────────────────────────────┘

void draw() {
  opencv.loadImage(video);   // カメラの画像をOpenCVに読み込む ──────────❺
  // 閾値の設定（マウスのX座標で変化）
  int threshold = int(map(mouseX, 0, width, 0, 100)); ─────────────❻
  opencv.threshold(threshold);         // 設定した閾値を適用する ─────────❼
  contours = opencv.findContours();  // 輪郭を抽出する ────────────────❽
  noFill();
  strokeWeight(2);             // 線の太さを設定する
```

（次ページへ続く）

```
  background(0);             // 背景を描画する
  // 検出された輪郭の数だけ輪郭線を描く
  for(int i = 0; i < contours.size(); i++){ ─────┐
    stroke(255);                                  ├─❾
    contours.get(i).draw();                       │
  } ──────────────────────────────────────────────┘
}

// カメラキャプチャのイベントを実行する
void captureEvent(Capture c) {
  c.read();
}
```

まずはじめに必要なライブラリをインポートします（❶）。OpenCVのライブラリと、ビデオ入力のため、ProcessingのVideoライブラリもあわせてインポートします。

Processing for OpenCVは、OpenCVクラスにすべての機能がまとめられています。ですので、まずOpenCVクラスのインスタンスを準備します。❷では、インスタンス名を「opencv」にしています。さらに、カメラカラのビデオキャプチャのためのインスタンスを用意します。OpenCVで輪郭を検出した結果は、Contourクラスのインスタンスのリスト（ArrayList）として返ってくるので、❸でContourのArrayListを用意します（リスト名はcontours）。

続いてsetup()で初期設定しています（❹）。画面の初期設定をしたあと、画面サイズを指定してOpenCVを初期化しています。そして、カメラからの映像を処理するため、ビデオキャプチャを初期化してからキャプチャを開始しています。

draw()では、まずカメラで取得した画像をOpenCVのインスタンスopencvに読み込んでいます（❺）。これによって、毎フレームのカメラの映像をOpenCVのさまざまな関数を用いて分析できます。次に輪郭を抽出する閾値（しきいち）を設定しています（❻）。OpenCVの輪郭抽出は、読み込まれた画像の明度をある値で区切って、明るい部分と暗い部分の境界に輪郭線を描いていきます（明度の境界が閾値です）。ここでは、マウスのX座標で閾値をインタラクティブに変化させています。閾値が決まったら、値をopencvに適用しています（❼）。最後にopencv.findContours()を実行して、輪郭を抽出しています（❽）。findContours()はContourのリストを返すので、あらかじめ用意したcontoursにそのまま代入すると、すべての輪郭線の情報が一気に読み込まれます。あとは、for文で取得したContourの数だけ繰り返して輪郭線を描いています（❾）。ここでは、黒い背景の上に白い線で輪郭線を描いています。

captureEvent()（カメラキャプチャのイベント）は、これまでやってきた方法と同じです。

実行イメージ

スケッチを実行すると、カメラからの映像の輪郭線だけが白い線で描かれます（**図15.1**）。マウスのX座標の位置を調節することで、まるでイラストで描いたようにカメラの映像が変換されます。

OpenCVによる輪郭抽出は、単に輪郭をなぞってイラスト風にするだけではありません。物体と背景の境界の情報を取得することで、映像によるより高度なインタラクションが可能となります。例えば、人体の動きに反応させて物体を動かしたり、群集の動きをビジュアライズしたり、さまざまな応用が考えられます。

▼図 15.1：輪郭の抽出

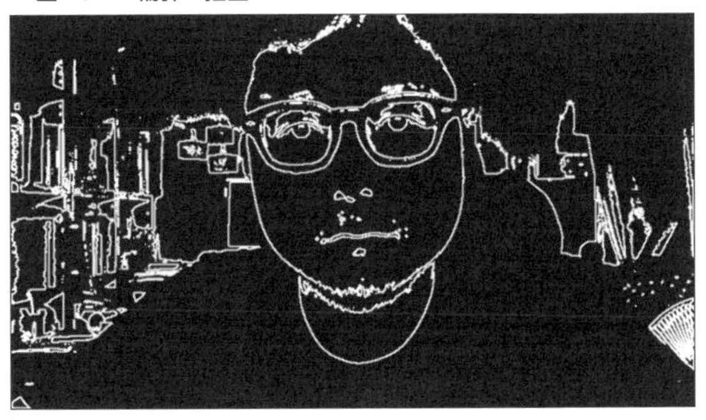

オプティカルフロー

次に、OpenCV でもう少し高度な映像の解析を試してみましょう。「オプティカルフロー (Optical Flow)」という手法を用いて映像内の動きを視覚化します（**リスト 15.2**）。

オプティカルフローは、2 つの画像間で各点がどう動いたのかを解析します。この解析を映像の各フレームで行うことで映像の特徴点の動きを抽出したり、全体の動きの流れ（フロー）を解析できます。

OpenCV では、オプティカルフローを用いて解析し、結果をベクトル場（ば）（平面の中のベクトルの量の分布）として視覚化する機能が用意されています。まずは、カメラから入力された映像を OpticalFlow を用いてビジュアライズしてみましょう。

▼リスト 15.2：オプティカルフローの描画　【実行結果は図 15.2】

```
import gab.opencv.*;        // OpenCVライブラリのインポート
import processing.video.*; // ビデオライラリーのインポート（カメラ入力用）
OpenCV opencv;              // OpenCVのインスタンス
Capture video;              // ライブカメラ

void setup() {
  size(640, 480, P2D);      // 画面サイズを設定する
  frameRate(60);            // フレームレートを設定する
  // 画面サイズを指定してOpenCVを初期化する
  opencv = new OpenCV(this, width/2, height/2);
  // ビデオキャプチャを初期化する
  video = new Capture(this, width/2, height/2);
  video.start();            // キャプチャを開始する
}
```

（次ページへ続く）

```
void draw() {
  scale(2);                  // 画面全体をリスケールする
  opencv.loadImage(video); // カメラの画像をOpenCVに読み込む
  image(video, 0, 0 );     // カメラ画像を表示する

  opencv.calculateOpticalFlow(); // OpticalFlowを計算する ――――――――――❶
  stroke(255, 0, 0);             // 描画設定する
  opencv.drawOpticalFlow();      // OpticalFlowを描画する

  // オプティカルフローの平均を解析する
  PVector aveFlow = opencv.getAverageFlow();
  int flowScale = 50;
  stroke(0, 0, 255);
  // オプティカルフローの平均を描画する
  line(video.width/2, video.height/2, video.width/2 + aveFlow.x*flowScale, video.height/2 +
aveFlow.y*flowScale);
}

// キャプチャイベント
void captureEvent(Capture c) {
  c.read();
}
```

宣言部と setup()

リスト 15.2 の setup() までの処理を見ていきましょう。先ほどの輪郭抽出とほぼ変わりません。ただ、オプティカルフローの演算は計算量が多いため、この例では解析するビデオ画像の大きさと OpenCV で解析する画像のサイズを、それぞれ画面の半分の大きさに縮小しています。縮小したサイズで演算して、画面に描画する際に拡大して表示するようにします。

draw()

まず、画像全体の描画サイズを scale() を用いて 2 倍にしています。これは、解析の際に画像を半分のサイズにしたものを画面いっぱいにリサイズするためです。次のカメラの画像を OpenCV に読み込んで、カメラからの映像を表示するところまでは、輪郭抽出と同じです。

opencv.calculateOpticalFlow() でオプティカルフローを計算しています（❶）。計算したオプティカルフローは、opencv.drawOpticalFlow() でそのまま表示されます。さらにこの例では、画面全体のオプティカルフローの平均を算出しています。これにより画面全体の動きの傾向を視覚化できます。opencv.getAverageFlow() でベクトルとして平均の動きを取り出し、これを直線で描画しています。

実行イメージ

スケッチを実行すると計算したオプティカルフローが赤い線で描かれます（**図 15.2**）。カメラ

の前で動くことでオプティカルフローの様子がベクトル場として表現されます。また画面の中心から、画面全体のオプティカルフローの平均が青い線で描かれています。

▼図15.2：オプティカルフロー(P24参照)　【リスト15.2の実行結果】

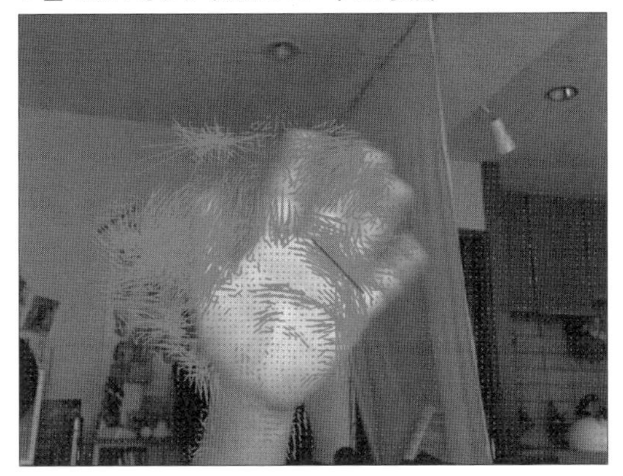

オプティカルフロー＋パーティクル

オプティカルフローを視覚化するとわかるように、画面全体の動きをベクトル場として取得できます。では、このベクトル場を用いて物体を動かすことはできないでしょうか？

ParticleVec3クラス（**リスト15.3**）を利用して、オプティカルフローで演算したベクトル場の力でパーティクルを動かしてみましょう（**リスト15.4**）。パーティクルに関するクラスParticleVec3は、Part2で作成したものをそのまま使用しています。

▼リスト15.3：ParticleVec3クラス（Part2より再掲）

```
// パーティクル3Dクラス
class ParticleVec3 {
  PVector position;
  PVector velocity;
  PVector acceleration;
  float friction;
  float radius;
  float mass;
  float minx, miny, minz;
  float maxx, maxy, maxz;

  ParticleVec3() {
    radius = 4.0;
    friction = 0.01;
    mass = 1.0;
    position = new PVector(width/2.0, height/2.0, 0);
    velocity = new PVector(0, 0, 0);
```

（次ページへ続く）

```
    acceleration = new PVector(0, 0, 0);
    minx = 0;
    miny = 0;
    minz = -height;
    maxx = width;
    maxy = height;
    maxz = height;
  }

  void update() {
    velocity.add(acceleration);
    velocity.mult(1.0 - friction);
    position.add(velocity);
    acceleration.set(0, 0, 0);
  }

  void draw() {
    pushMatrix();
    translate(position.x, position.y, position.z);
    ellipse(0, 0, radius * 2, radius * 2);
    popMatrix();
  }

  void addForce(PVector force) {
    force.div(mass);
    acceleration.add(force);
  }

  void bounceOffWalls() {
    if (position.x > maxx) {
      position.x = maxx;
      velocity.x *= -1;
    }
    if (position.x < minx) {
      position.x = minx;
      velocity.x *= -1;
    }
    if (position.y > maxy) {
      position.y = maxy;
      velocity.y *= -1;
    }
    if (position.y < miny) {
      position.y = miny;
      velocity.y *= -1;
    }
    if (position.z > maxz) {
      position.z = maxz;
      velocity.z *= -1;
    }
    if (position.z < minz) {
```

```
      position.z = minz;
      velocity.z *= -1;
    }
  }

  void throughOffWalls() {
    if (position.x < minx) {
      position.x = maxx;
    }
    if (position.y < miny) {
      position.y = maxy;
    }
    if (position.z < minz) {
      position.z = maxz;
    }
    if (position.x > maxx) {
      position.x = minx;
    }
    if (position.y > maxy) {
      position.y = miny;
    }
    if (position.z > maxz) {
      position.z = minz;
    }
  }

  void addAttractionForce(PVector force, float radius, float scale) {
    float length = PVector.dist(position, force);
    PVector diff = new PVector();
    diff = position.get();
    diff.sub(force);
    boolean bAmCloseEnough = true;
    if (radius > 0) {
      if (length > radius) {
        bAmCloseEnough = false;
      }
    }
    if (bAmCloseEnough == true) {
      float pct = 1 - (length / radius);
      diff.normalize();
      diff.mult(scale);
      diff.mult(pct);
      acceleration.sub(diff);
    }
  }
}
```

▼ リスト 15.4：オプティカルフロー＋パーティクル 【実行結果は図 15.3】

```
import gab.opencv.*;       // OpenCVライブラリを読み込む
import processing.video.*; // ビデオライラリーを読み込む（カメラ入力用）
OpenCV opencv;             // OpenCVのインスタンス
Capture video;             // ライブカメラ
// ❶

int NUM = 2000;                                    // パーティクルの数
ParticleVec3[] particles = new ParticleVec3[NUM]; // パーティクルの配列
// ❷

void setup() {
  size(640, 480, P3D);                           // 画面サイズ
  video = new Capture(this, 640/2, 480/2); // キャプチャするカメラのサイズ
  opencv = new OpenCV(this, 640/2, 480/2); // OpenCVの画面サイズ
  video.start();  // キャプチャ開始

  // パーティクルを初期化する
  for (int i = 0; i < NUM; i++) {
    particles[i] = new ParticleVec3();
    particles[i].radius = 1.5;
    particles[i].position.set(random(width/2), random(height/2), 0);
    particles[i].minx = 0;
    particles[i].miny = 0;
    particles[i].maxx = width/2;
    particles[i].maxy = height/2;
  }
}
// ❸

void draw() {
  background(0);
  blendMode(ADD);
  scale(2.0);

  opencv.loadImage(video);        // カメラの画像をOpenCVに読み込む
  opencv.calculateOpticalFlow(); // OpticalFlowを計算する

  stroke(255, 0, 0);              // 描画設定する
  opencv.drawOpticalFlow();       // OpticalFlowを描画する

  // パーティクルを演算する
  noStroke();
  fill(0, 127, 255);
  for (int i = 0; i < NUM; i++) {
    particles[i].update();           // パーティクルの位置を更新して描画する
    particles[i].draw();
    particles[i].throughOffWalls(); // 画面の端にきたら反対側から出現する
    // もしパーティクルが画面内にあったら
    if (particles[i].position.x > 0 && particles[i].position.x < video.width
      && particles[i].position.y > 0  && particles[i].position.y < video.height ) {
      // 現在のパーティクルの場所のオプティカルフローのベクトルを取得する
// ❹
```

```
      PVector vec = opencv.getFlowAt(int(particles[i].position.x), int(particles[i].
position.y));
      // 取得したベクトルの力をパーティクルに加える
      particles[i].addForce(vec.mult(0.1));
    }
  }
}

// キャプチャイベント
void captureEvent(Capture c) {
  c.read();
}
```

❶ライブラリのインポートと、ビデオと OpenCV のインスタンスの作成までは先ほどと同じです。次に、❷パーティクルのインスタンスを格納するための配列を用意します。このサンプルでは 2000 個のパーティクルの配列を確保しました。

❸ setup() の中にある OpenCV とビデオキャプチャの初期化は、オプティカルフロー単体のサンプルと同じです。それに続いて、パーティクルを初期化しています。パラメータを設定した上で、配列に格納しています。

❹続いて draw() です。描画の設定をして、カメラ画像を OpenCV に取り込み、オプティカルフローを計算して描画するところまでは、先ほどのサンプルと同様です。ここから、取得したオプティカルフローの力を利用してパーティクルを動かしていきます。パーティクルの数だけ for 文で繰り返しながら、それぞれのパーティクルにかかる力を計算していきます。ポイントは、opencv.getFlowAt() を用いて特定の位置のオプティカルフローのベクトルを取り出す部分です。ここで取得したベクトルをパーティクルに作用する力に見立てて、parteicle.addForce() を用いてパーティクルに伝えています。

実行イメージ

では、スケッチを実行して画面の前で手を動かしてみてください（**図 15.3**）。まるで手の動きで風を起こしているかのように、動きの流れによってパーティクルが飛びまわります。特殊なセンサーなど使用することなく、OpenCV による画像処理だけで、人体の動きによるインタラクティブなスケッチを作成できました。

▼図 15.3：オプィカルフロー+パーティクル（P24 参照）
【リスト 15.4 の実行結果】

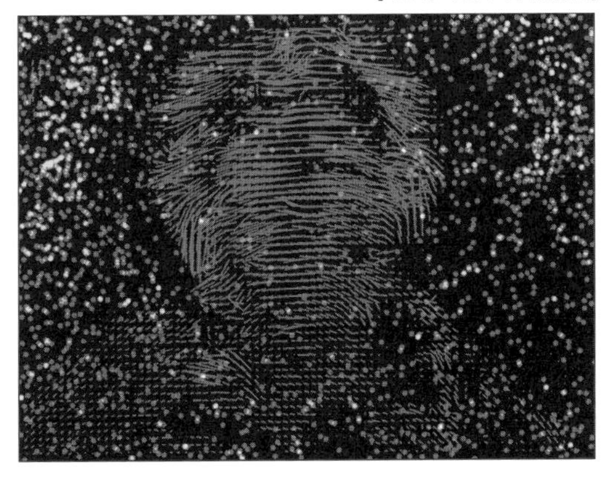

COLUMN

さらに次のステップを目指す方へ - openFrameworks

openFrameworksは、クリエイティブ・コーディングためのC++で実装されたフレームワークです。

オフィシャルサイト：http://openframeworks.cc/
日本語オフィシャルサイト：http://openframeworks.cc/ja/

JavaやJavaScriptと、openFrameworksで用いられているC++の大きな違いは、C++で作成されたスケッチはコンパイルされてネイティブなアプリケーションにできる点です。たとえば、OS Xなら".app"、Windowsなら".exe"形式の実行ファイルが作成されます。このためopenFrameworksは、マシンの性能を最大限に活用できます。ですので、Processingやp5.jsでは計算が追いつかずにコマ落ちしてしまうような表現も、openFrameworksであれば問題なく動かせることも多いです。

openFrameworksのもう1つの大きな利点は、アドオン（addon）というProcessingで言うところのライブラリが充実している点が挙げられます。Processingのサンプルでも取り上げた、物理演算やGUI、OSC通信やコンピュータビジョンはもちろん、そのほかの多くの拡張機能がアドオンとして提供されています。次のサイトを参照すると、その量に圧倒されるのではないでしょうか。

http://ofxaddons.com/

openFrameworksは、Processingやp5.jsのように独自の統合開発環境は用意されていません。ですので、OSにあわせて既存の開発環境を用意する必要があります。次のような組み合わせが用意されています。

- Mac OS X：Xcode
- Windows：Visual Studio、Qt creator、msys2
- Linux：Qt creator、msys2、Eclipse

詳細はオフィシャルサイトのDownloadのページを参照してください。

http://openframeworks.cc/ja/download/

索引

N

O

P

R

S

T

V

W

あ

か

◆**著者紹介**
田所 淳（たどころ あつし）
慶應義塾大学非常勤講師／多摩美術大学非常勤講師／東京藝術大学非常勤講師／明治大学非常勤講師／東京工科大非常勤講師
1972年生まれ。クリエイティブコーダー。アルゴリズムを用いた音響合成による音楽作品の創作、ライブコーディングを用いた音と映像による即興演奏などを行う。大学では、openFrameworks、Processingなどの「クリエイティブ・コーディング」についての講義を行う。講義資料はWebサイト（http://yoppa.org/）で公開、多くの学生やクリエイターに活用されている。著書に『Beyond Interaction［改訂第2版］- クリエイティブ・コーディングのためのopenFrameworks実践ガイド』BNN新社 2013、など。

◆**装丁**
嶋 健夫（株式会社トップスタジオデザイン室）
◆**本文デザイン・DTP**
株式会社トップスタジオ
◆**担当**
高屋 卓也
◆**編集協力**
取口 敏憲

Processing（プロセッシング）クリエイティブ・コーディング入門（にゅうもん）
- コードが生（う）み出（だ）す創造表現（そうぞうひょうげん）

2017年 4月26日 初版 第1刷発行
2019年11月 2日 初版 第2刷発行

著　者　田所 淳（たどころあつし）
発行者　片岡 巌
発行所　株式会社技術評論社
東京都新宿区市谷左内町21-13
電話 03-3513-6150 販売促進部
03-3513-6177 雑誌編集部
製本／印刷　港北出版印刷株式会社

定価はカバーに印刷してあります。

造本には細心の注意を払っておりますが、万一、乱丁（ページの乱れ）や落丁（ページの抜け）がございましたら、小社販売促進部までお送りください。送料小社負担にてお取り替えいたします。

ISBN978-4-7741-8867-6
Printed in Japan

本書の内容に関するご質問は、下記の宛先までFAXまたは書面にてお送りください。お電話によるご質問、および本書に記載されている内容以外のご質問には、一切お答えできません。あらかじめご了承ください。

〒162-0846
東京都新宿区市谷左内町21-13
株式会社技術評論社
『Processing クリエイティブ・コーディング入門』
質問係
FAX：03-3513-6163

なお、ご質問の際に記載いただいた個人情報は質問の返答以外の目的には使用いたしません。また、質問の返答後は速やかに破棄させていただきます。